失語症になった
カミさん＆
航空自衛隊
司令部勤務の
55日

百々 一 著

鉱脈社

目次

失語症になったカミさん＆
航空自衛隊　司令部勤務の55日

第Ⅰ章　何の前ぶれもなく、それは訪れた

救急病院に入院

ある年の8月30日㈫、何の前ぶれもなく、それは、訪れた。

遅い夏期休暇をとった日である。朝、いつもより遅い8時すぎに起き、CDを聞きながら新聞に目を通しつつ、今日は幕張メッセの米国展に行くので、その行き方と、帰りには新宿で美味《うま》いものでも食べよう、どこにしようか、などと考えていた。

しかし、朝に弱く朝寝坊のカミさんであるけれど、それにしても遅すぎる。もう昼近くになるというのに、一向に起きて来ないのである。あまりに遅いので様子を見に行くと、きちんとした姿勢で、薄いかけ布団も乱れておらずに眠っている。

「幸《さっ》ちゃん、もう昼だよ。起きないと予定が狂うよ。今日は幕張メッセに行く日だよ」

と言っても、何の反応もない。いつもだと身体を動かしたり、布団で顔を隠したりするのに、おかしい!!　上半身を抱き上げ、幸ちゃん!!　幸ちゃん!!　と軽く揺すってみると目を少し開けたが、トロンとそのまま眠ってしまった。

変だ、こりゃ、おかしい。すぐに119番した。

10分ほどして救急車が来た。3名の救急隊員に運ばれて、6階から階段を1階へ。そして一緒に救急車に乗った。今年の夏は、例年になく猛烈に暑かったことと、パートに出ていたので、その疲れのためかとも考え、ウーウーとサイレンを鳴らしながら走る救急車の中で「そういえば救急車に乗るのは生まれて初めてだなあ。たぶん幸ちゃんも初めてじゃないかなあ」などと比較的安易に考えていた。それが一変するのは、その直後である。

7~8分で浦和市の救急病院の三愛病院に着いた。診療室に入ってから10分ほどして先生がみえて、「くも膜下出血です。今から手術します。頭髪は切りますが、よろしいですか?」と言うのであるが、あまりに突然のことだったので、「は、は、~い、」とナマ返事しかできなかった。自分の頭にガーンと一発、ハンマーをくらった感じであった。

僕自身では、くも膜下出血イコール〝死〟をイメージしていた。死を宣告されたのと同じである。茫然としてしまった。しかし、心の隅の方では、この非常事態に頭髪カットについての可否を求めるのは何なんだ？　と思った。形式的なものなのか、女性だけに問うものなのか、まったく解らない。意味不明。

それから、手術室の前で不安な時間をすごした。幸ちゃんの親族5人と自分の親族3人に、それぞれ電話で連絡をした。手術室前の廊下のソファに座っていても落ち着かなかった。助かってほしい。死のことも頭をよぎった。しかし、すぐに打ち消した。そんなことはない。そんなに簡単に死んでたまるか。だって、幸ちゃん、僕と約束したじゃないか。僕の定年後は、九州宮崎で暮らそう。のんびり暮らしたいって言ったじゃないか。

「どこの神様でもいい、幸ちゃんの命を助けてください」と、何度も何度も祈った。そして、何故もっと早く異常に気づかなかったのか。何日か前、あるいは何週間か前から、具合の悪いサインを発していたのではないか？　しかし、いくら記憶をさかのぼってみても思い当たることはなかった。

手術が終わり、手術室から寝台車で運ばれてきた幸ちゃんは、淡いピンクの顔色をしていた。左の人差し指を口元にあて、こころなし微笑んでいた。まるで広隆寺の弥勒菩薩のようであった。思わず、神様このまま天にお召しには、ならないでくださいと願った。4時間15分の手術であった。先生は、意識のない今の状態が2～3週間続くと言う。さらに「助かるかどうかは、今のところ五分五分です」と言われた。「はい、わかりました。よろしくお願い申しあげます」と言って僕は、深々と頭を下げた。今、頼む相手は、この先生だけなのである。そして集中治療室へ幸ちゃんは運ばれていった。

夕方、次代《つぎよ》姉が来てくれた。その後、幸ちゃんの弟の隆くんが横浜から来てくれた。狭いこの集中治療室では寝るスペースも布団もないので、隆くんには帰ってもらった。

次代姉とは交代で看病にあたった。幸ちゃんのベッドの横の床にシートを敷き、そのシートの上で1人は横になり、1人は床に座って寝ずの番をした。ベッドで横になっている幸ちゃんの頭は包帯でぐるぐる巻き。口、鼻には、吸入器、そして身体中、管《くだ》だらけの痛々しい姿を見ていると胸がつまる。点滴は2時間で切れるので、注意が必要であった。切れるたびにナースコールのボタンを押し、ナースに来てもらった。病室の床に姉と交代で寝たのは、この日だけであった。

8月31日㈬　入院2日目

朝7時40分ごろ　勤務先の事務所に電話を入れた。埼玉県入間基地の航空自衛隊に勤務する自分は、昨日から今週いっぱい金曜まで夏期休暇をとっていたのであるが、中空司令部監理部総務課法務班の相棒K1尉と監理部長のO1佐に、昨日、カミさんがくも膜下出血で倒れたと事情を話した。

部長の「何か手伝うことがあれば、遠慮なく言ってほしい」という言葉にホロッときてしまった。さらに部長は、「自分が不在の時は、総務課長にでもいいから、その後の状況を電話で知らせてくれ」と言う。「ありがとうございます。ご迷惑をおかけします」と電話を切った。

今朝、先生の回診があり、幸ちゃんの頭をグルグル巻いている包帯をとったのである。もちろん手術痕にはガーゼ等がしてあったが、それにしても、あっ、と息をのんだ。丸坊主なのである。当たり前と言えば当たり前であるが、イガグリ頭にはびっくりした。

しかし、意外と色っぽい坊主頭である。

病室の幸ちゃんは、寝ているのに左手を盛んに動かす。右手は麻痺しているのか、まったく動かずなのである。着ているユカタの細いヒモを左手で盛んにいじり、結び目を作る。何度も何度も作るのを繰り返す。「幸ちゃん、器用だね」と言うと、聞こえたのかナマツバを飲み込むのが見えた。しかし、目を閉じ、眠ったままなのである。無意識で指を動かしているのかな？　次代姉は、仕事のことと同居している母のことが気になると言い、恵比寿のマンションに帰って行った。

今日から、付き添いの人を頼んだ。吉野さんというご年配の人である。良くやってくれるので感謝、感謝である。その吉野さんが、「今日は、早く帰って休んだら」と言うので、その言葉に従った。

家に帰り、洗濯を済ませ、食事を作った。しかし正直、食欲はなかった。島根県益田市にいる幸ちゃんのお母さんと連絡がとれたものの、すぐには上京はできないと言う。お寺のご住職がご高齢で、その方の介護、支援をしていると言う。

そのあと、自転車で病院へ向かった。家から病院まで自転車で10分ほどである。病室に入るや、幸ちゃんの身体を移動させようとしている看護師さんたちが、「うわっ、この方、肌が白くてきれいね」と、幸ちゃんの腕や胸を見て言うのである。

この集中治療室には、幸ちゃんと同年代の女性で、やはりくも膜下出血を起こして4日目だという人がいるのだけれど、昨夜も、そして今日も、とにかく一日中、頭が痛い、耳が痛い、お腹すいた、など大声で言い続けているのである。夜中の眠い時にはまったく腹立たしかった。彼女の付き添いの人が何度注意しても無理であった。うちのカミさんはひと言も言葉を発することができないでいるのに、同じ病気とは思えないのである。この女性はやかましいほど言葉が出てくる。うらやましく思った。

9月1日㈭　入院3日目

朝、起きると留守電が3件入っていた。電話のベルにまったく気がつかずに寝ていたということになる。3件も鳴っていたのに気付かずとは？　疲れていたのであろう。熟睡していたということか。

郵便局から戻ると、留守電に職場の相棒のK1尉から「その後、奥さんの具合はどうですか。みんな心配しています」というメッセージが入っていた。すぐに職場に電話を入れた。まだ眠っている時間が多いこと、こういう状態が1～2週間続くこと等を知らせた。朝9時少しすぎに病室に入ると、彼女は昨日とさして変化はなかった。目を開けたので「幸ちゃん、おはよう」と言うと、じっと僕を見つめる。ただそれだけである。麻酔のせいであろうか？　ぼおっとした表情である。彼女の手を握り「早く元気になるんだよ」と言ったが、なんの反応もなかった。

昼に恵比寿の母に幸ちゃんの病状を電話で知らせると、途中で泣きだしてしまった。「可哀想にね、若いのに。幸ちゃんはもの静かで温和《おとな》しいから、痛くてもじっと我慢しているんだろうね」と言い、また泣きだすのであった。「そんなに心配しなくても大丈夫だよ。若いし、きっと治るから」と言ったものの、確信は何もなかった。

病室でベッドに横になっている彼女を見ていると、痛々しくてとても長い間その場におれない。さりとて家にいると、電話がなるたび、ひょっとして病院から病状悪化の連絡ではないのかと思い、まったく落ち着かないのである。次代姉も一緒のようで、治療費のことで電話をすると「なにかあったの？」と不安な声が伝わってきた。

9月2日㈮　入院4日目

早朝、母から電話である。幸ちゃんの病状を知りたいと言う。昨日教えたばかりである。認知症予備軍か。母も高齢である。「まだ眠っている時間が多く、麻酔が効いているのだと思う」と言うと、「あ、それじゃもうダメだ」と決めつける。こういう言い方をする母である。言葉を選んでほしい。そして「ああ、どうしよう。悲しいわね、可哀想にね」と涙声である。「幸ちゃんは元気になるよ。若いし、元気になるよ。回復には時間がかかるだろうけど」と、自分に言いきかせるように言った。

朝9時30分　病室に入った。4日目である。幸ちゃんは、気持ちよさそうに眠っていた。しばらくして目を覚ましたので、「幸ちゃん、おはよう。朝だよ」と言うと、身体を起こそうと動くのである。身体で〝おはよう〟と答えているようだ。あっ、昨日より今日は良くなってきている。そう思えた。ごくわずかであるけれども、身体が活動しだしている。そう感じた。

「幸ちゃん、元気になるんだよ」と言うと、ちょっとだけ手を動かす。左手をである。右手はまったく動かない。そして、嬉しそうな表情をする。初めてである。何かを話そうと口を少しあけるが、声にはならない。言葉は出てこなかった。徐々にだけれど麻酔から覚めてきたのだろうか。

副院長の巡回が終わった後、先生に「うちの、どうなんでしょう?」と伺うと、「意識がもどるには、人によって1週間以上かかる人もいれば4、5日の人もいる。個人差がある。また生命の保証は、今の状態では確信を持って断言はできない」という返事であった。元気になってほしい。今は、寝たきりだけれど。たとえ足が不自由で車椅子の生活になってでも生きていてほしい。そう願った。

昨日、加入している保険会社にたずねると、貸し付け限度額は56万円という。これでは手術代にもならない。付添婦代が日に1万5000円である。これだけでも月45万円かかるのである。さしあたり必要な費用を計算し、次代姉から借金することとした。借用書を用意しなくては。

午後、主治医の布施先生が巡回にみえた後、先生の部屋に行き、「どうなんでしょう、うちのカミさんの病状は?」と、午前中、副院長にたずねたことと同じことを伺った。先生は「順調に回復しています」と言うだけで、あとは何も言わない。口の重い先生だと思う。しかし、医師はこうでなくてはいけないのかも知れない。立場上、軽率なことは言えないのであろう。順調な回復ぶりなら、なによりである。先生を信じていくしかあるまい。少し、ほっとした。

自分の心が少し落ち着いてきたのか、仕事のこと、職場のこと等を思い出した。職場のみんなに迷惑をかけていると思うと申し訳ない。本当に。中空司令部監理部長に電話を入れた。部長は電話口で開口一番、「奥さん、大丈夫か？　法務班長　百々《どうどう》さん、5日月曜日は出勤しなくていいよ。あと金曜日まで休め。休暇とれよ」と言う。「業務のことは何とかなるから、皆でカバーするから」と言われる。お盆の休暇も夏期休暇もとっていなかったので、休むことにした。

9月3日㈯　入院5日目

朝10時すぎ　病室に入り、ベッドで横になっている幸ちゃんを見ると目を開けていたので、「幸ちゃん、おはよう」と言い、手を握ると握り返してくれたが、力はなかった。表情も昨日より元気がない。付き添いの吉野さんの話では、昨夜は手をヒモで結ばないでいると、夜中に2度も頭のキズの布を取ってしまい、それをぎゅっとつかみ放さなかったと言う。2人がかりでやっと布を取り返したという。傷口がかゆくなってきたのだろう。付添婦さん2人との戦いで疲れたのかも知れない。頭の手術の痕がかゆいらしく、左手でかいたり、布を取ったりするので、夜だけ手をヒモで結んでそれをベッドの手すりに結ぶという。

今日の幸ちゃんはまるきり元気がない。5日目の今日あたりから、ひょっとして好転するのではと思ったのだが、甘い、甘い、甘い自分である。

昼前　八王子の幸ちゃんの兄さん夫婦がみえた。幸ちゃんは軽い寝息をたてていた。ゆっくり面会できるようになったら連絡がほしいと言って、数分で帰っていった。

若い看護師さんが、「サチコさん、お父さんがみえましたよ」と、僕のことを幸ちゃんの父親と思っているのである。夫婦には見えないのか。僕が老けて見えるのと同時に、幸ちゃんが若く見えすぎるのだろう。

昨日の夕方から水を、そして今日は口から栄養水も飲み始めた。看護師さんが、「さあ、口を開けて」と言うと、彼女はちゃんと口を開けるのである。水と栄養水を飲む時、麻痺しているような口の動きをする。まだ、麻酔が完全にとれてはいないのであろう。

9月4日㈰　入院6日目

朝9時すぎ　病室に入ると、幸ちゃんはイビキをかいて寝ていた。しかし、今日のイビキは今まで以上に大きいイビキである。ただ、この大イビキが良い方向なのか悪い方向なのかわからない。

昼前に幸ちゃんの恩人である日本橋の宮本キエさんが見舞いに来てくれた。「幸ちゃん、キエさんだよ」と言うと手が動き、握っていた僕の手を握り返してくる。そして、のどのあたりが動いた。一生懸命、話をしようとしているのだが、言葉にはならないのである。もどかしそうであった。数分間、対面した。「自分の経験から、これなら大丈夫。元気になるわ」とキエさん。わざわざ、この暑さの中に見舞いに来てくれたことに心から感謝した。

キエさんをJR西浦和駅まで送り、家に帰った。キエさんにいただいたおにぎりと漬け物で昼食とした。下の階の吉田さんが、お子さんである海《かい》クンと、ナナちゃんと、幸ちゃんが入院したことを知らずに訪ねて来た。入院したことを話すと、絶句であった。「あんなに食べ物にも運動にも、身体にも気を使っていたのに」と言う。

病室にもどった。幸ちゃんは眠りに入ったので、再び家に帰り、職場の相棒、法務班員K1尉に病状を知らせた。「順調に経過している。眠っている時間が多い。まだまだ言葉は出てこない状態である」と。

業務の連絡のあとに彼が知らせてくれた事項にはびっくりした。31日㈬に中空司令部防衛課長A1佐が自転車で帰宅時、酔っぱらい運転の車にはねられ意識不明の重体だという。大変な事故である。痛々しい事故である。A1佐は、この夏に転属してきたばかりであり、9月から我々のテニス仲間に加わる予定であったのにである。しかも、幸ちゃんの倒れた日の翌日の事故である。衝撃であった。

9月5日㈪　入院7日目

朝9時すぎ　入室すると、幸ちゃんは目を開けていた。手を握ると、何度も握り返してくる。吉野さんが幸ちゃんの足を立ててひざの皿を叩いて、「幸ちゃん、痛いかい？

痛いかい？」と聞くと、彼女は首をたてにうなずくのである。こちらの言うことはわかるのである。しかし、話をすることは、まだできない。言葉が出ないのである。

30〜40分、幸ちゃんの手をマッサージしたり、腕をもんだりしていると、気持ち良くなったのか、目が少しずつ細くなり、そして眠ってしまった。

幸ちゃんはこういう病気になっても、意識が薄れていた初日、2日目においても、きちんとしていたのには感心する。ベッドに横たわり、眠っているのにである。3日目だったか、エリをなおしたり、ゆっくりではあるけれどもユカタのすそをそろえるのである。まったく感心してしまった。隣のベッドの奥さんは、足をベッドの手すりに乗せ、両足を開きっぱなしにしたり、その寝相の悪いこと。その上、相変わらずやかましいのである。付き添いの人たちがあきれるほどである。

昼に栄養水を口から入れている時に、左手でグー、チョキ、パーをするのである。何か子供の頃の夢でも見ているのであろうか。そして、指一本一本を動かすことができるようになったのである。少しずつ回復しているのだが、ただ、まだ右手右足は麻痺したままであり、まったく動かないのである。それが気がかりである。

9月6日㈫　入院8日目

パンとミルクで軽く朝食をすませ、病院へ。幸ちゃんはイビキをかいて寝ていた。今日は、口を大きく開けていた。夜、遅くまで起きていて、昼は寝ている生活をしている、と付き添いの吉野さんは言う。

看護師さんが血圧測定に来て、幸ちゃんを揺すり起こすのだが、なかなか起きない。トロンとした目で測定を受けている。眠そうである。元気がない。寝ているところを起こされたためか、手の握りにも力がない。彼女に元気がないと、こっちまで元気がなくなり、食欲までなくなる。彼女はまだ普通の食事は食べられないのだから、「元気になったら美味いものをうんと食べに行こう。それには早く元気になることだよ」と、自分に言い聞かせている。

いったん家に帰り、シャワーを浴びた。夜、シャワーを浴びるのはどうも怖いのである。何のことはない。ヒッチコックの映画『サイコ』のシャワーシーンを想像してしまうのである。生涯義足か、あるいは車椅子の生活になる可能性もあるのである。心づもり、覚悟だけはしておこう。そうはならないことを祈っているが、こればかりは先のことはわからない。

昼すぎに病院に行くと、病室が変わっていた。「出世したんだよ」と付き添いの人が言う。本当かな？　いくぶん容体が良くなったということかな？　4人部屋から6人部屋へと引っ越したのであった。狭い部屋には6ベッドも入っているせいか窮屈に感じた。

幸ちゃんは、うつろな目をしていた。苦しいのであろうか？　我慢強いひとだから何も言わないが、今しばらく様子を見ようと思う。先生の言うことを信ずるしかあるまい。

昼4時すぎ　証券会社のS氏が見舞いに来てくれた。きれいなカゴに盛られた立派なブドウをいただいた。部屋の皆さんにお裾分けした。

9月7日㈬　入院9日目

朝シャワーを浴びていると、電話が鳴る。付き添いの吉野さんからである。何事だろう。悪い知らせだろうか？　こんな早朝に。一瞬不安な気持ちになった。しかし、話は逆であった。ほっと胸をなでおろした。「昨夕からおかゆの許可がおり、今朝もおかゆをあげたいので、大小のスプーンとフォークを持ってきてほしい」というものであった。

朝食前であったが、自転車ですぐ持っていった。「幸ちゃん、おはよう」と言っても返事はなく、すぐに眠ってしまった。昨夜は自分で身体を起こしたという。吉野さんが、あわてですぐに寝かせたという。まだまだ身体を起こすには早いというのである。しかし、元気になったと吉野さんは感心する。僕もそう思う。身体は確実に回復してきていると思う。しかし、言葉は、言葉だけは、まだまだ何も話せないのである。早く話ができるようになってほしい。

紙おむつ（リリーフ）がほしいと吉野さんが言うので、近くのダイエーに買いに行った。30シート入りで5100円もするのにはびっくりした。幸ちゃんの夕食はどんなふうなのかのぞいてみると、おかゆはどんぶり8分入りのものを7〜8割方食べた。そして野菜をつぶしたスープと、肉と魚をつぶしたスープも、やはり7〜8割方食べた。本当はもう少し食べられるのだが、最初から無理はさせまいという吉野さんの配慮である。当然まだ自分ではスプーンとフォークは使えないので、吉野さんに食べさせてもらっているのである。そのあと、ほうじ茶と牛乳というメニューである。

明日から発声をやってみようと、吉野さんが画用紙に五十音をひらがなで書いてくれた。「幸ちゃん、読んでごらん」と吉野さん。幸ちゃんは、やっと、小さな小さなしわがれた声で、〝あっ〟と言えた。続いて「い・う・え・お」まで言えた。小さな、そして非常にか細い声であったけれども、少し安堵した。

部屋の他の付き添いの人たちから「幸ちゃんは美人だよね。失礼ですがおいくつです?」と聞かれ「48歳です」と言うと、みんな、えっ本当ですか? と驚く。幸ちゃんがここに来た時、こんなに若々しい方がこの病気になることがあるの? と思ったと言う。「尼さんにしても似合うし、色は白いし、シワもないし、本当にいいところの奥様なんでしょうね。仕事していますか?」と言うから、「パートで働いています」と言うと、「本当ですか?」と言う。幸ちゃん、しあわせだね。部屋のみんなに美人、きれい、若いと連発されて。

帰宅すると職場の女性から花券が届いていた。ありがとう。

9月8日㈭　入院10日目

朝9時すぎに家を出、新橋駅ホームで次代姉と11時に待ち合わせた。5分前に彼女は来た。治療に必要な費用をその場で借りた。借用書を渡した。

昼2時すぎ　病室に着くと、いつもは開いているドアがしまっている。何故だろうと思い、そっとドアを開けると、みんな寝ている。吉野さんも床に横になっている。幸ちゃんは、軽い寝息をかきながら寝ていた。1階の待合室に行き、しばらくそこで時間をつぶした。今日で10日目である。吉野さんは、回復は早いほうだという。吉野さんは、大ベテランである。信じていいだろう。

1時間後に行ってみると、幸ちゃんはまだ寝ていた。今日は朝から寝てばかりいると吉野さんは言う。だから発声練習をしていないと。昨日、はしゃぎ過ぎたのかな、とも。疲れたのであろう。一気に良くはならないということを知るべきであろう。朝食は何も食べずに寝ていたという。しかし、昼食は出されたもの全て食べたという。

夕方5時少しすぎ、ガーグー、イビキをかいて寝ている幸ちゃんを起こし、夕食となった。7~8割方食べた。そのあと発声勉強をしたがまったくダメで、何も言えない状態であった。

お友達が来た。同病の女性である。その人の付き添いの人と2人で来たのである。この人が来ると嬉しい表情をすると言う。同病相憐れむものがあるのか、わかりあえるものが、何かあるのであろう。その人は6月末に手術をしたという。今は足を引きずりながら、付き添いの人に補助されながらリハビリ中のようである。2か月でなんとか歩けるのである。この人くらいに回復してくれたらと思う。幸ちゃんはまだベッドの中である。まったく歩けない状態なのである。

おふたりが帰ったあと、吉野さんが幸ちゃんに「あ・い・う」と言ってみてと言うが、幸ちゃんは苦しそうなゆがんだ表情をする。幸ちゃん、がんばれ‼　苦しいのだろうけど。しかし言葉は発せられなかった。

9月9日㈮　入院11日目

朝、洗濯を済ませ、机に向かい友人等にはがきを書いていて、幸ちゃんがもし治らなかったらと悪い想像をしてしまう。

朝10時前　病室に入る。めずらしく幸ちゃんは目を開けていた。「幸ちゃん、おはよう」と言っても返事はない。手を握り話かけると、喉のあたりが動く。話をしようと懸命なのである。しかし、言葉にはならない。もどかしいことだろう。こっちの言うことに必死に答えようとしているのだが、言葉にはならないのである。

幸ちゃんの容体について、担当のF先生に伺おうと先生の部屋に行った。「あと1～2週間は不安定で目が離せない。それを過ぎたら、まず生命の心配はない。言葉が出ないのは、脳の言語をつかさどる前頭葉、そこに血液が流れこんだため。治るかどうかはわからないので、言語専門の先生がいるリハビリ専門病院を紹介します。自分の身の回りのことはできても、社会復帰は無理だと思います」と言う。衝撃であった。えっ、治らない。話ができない。声が、もう出ない。そんな！　信じられなかった。昼食を無心で食べている幸ちゃんを見ながら、不覚にも涙が落ちた。

家に帰ってからも、先生の言葉が間違いであってほしいと願った。社会復帰できないという言葉が重く頭にのしかかってきた。一日も早く、言語のリハビリを受けるべきであろう。先生が言われた病院は、熊谷市、所沢市、そして他県の温泉地であった。温泉は療養には良いのだろうが、浦和市の我が家からは遠すぎる。会いに行くのも大変である。熊谷も少し遠方である。結局、所沢市の国立障害者リハビリテーションセンター病院が最適であると思う。

9月10日(土)　入院12日目

朝、目覚めて、冷静に考えてみた。なにも社会に復帰できなくとも、仕事ができなくなってもいいのではないか。家庭生活ができれば、それでいいのではないか。そばにいて、病気回復にがんばるだけだ。そう思った。先生の言うように、言葉は出てこないかもしれないけれど、元気であればいいんだ。生きていてくれたらいいのだ。足も歩けなければ車椅子があるじゃないか。それだけで十分である。そう決まると、心が少し軽くなった。

今朝は、院長先生の回診に立ち会った。食事を少し増やそうと言う。朝食のパンを今日は全て食べた。そして、昼は7~8割方食べた。おかゆも7~8割方くらい食べる。野菜のスープ、魚肉のスープはほとんど食べてしまう。

今日は、彼女の好きなイチジクをスーパーで買い、病室で吉野さんと3人で食べた。考えてみると、幸ちゃんが倒れた時、僕が休暇を取っている日で本当に良かったとつくづく思う。普段は朝6時すぎに出勤し、夜は7時ごろ帰宅するという生活パターンである。あの日、平常どおり出勤し、夜7時に帰宅していたら、たぶん幸ちゃんはすでに冷たくなっていたと考えられる。そう思うと、運不運というものの差は、紙一重なのだと実感した次第である。

第2章　職場と病院の往復生活

前日出勤

9月11日(日)　入院13日目

明日から入間基地へ出勤なのだが、12日間の休暇中にどんな業務が飛び込んできているかさっぱり判らない。そのことが非常に気がかりなのと、停滞しているであろう通常業務も気になるので、日曜日の中《なか》、出勤した。

朝6時半に家を出、仕事の書類と重いカステラ（明日、迷惑をかけた部屋の皆に食べてもらうのである）を持って入間基地に向かった。事務室に入ると、誰も出勤していなかった。土日でも出勤し、業務をこなしている人が結構いるのであるが、今日は、1人もいなかった。自分のデスクには、高く積まれた書類がたまっていた。湯を沸かして、

入間基地内のスナップ

お茶でまず一服した。溜《た》まっていた書類を一つ一つ処理し、必要な書類はコピーしたりと結構手間どったが、昼すぎ3時には部屋を後にした。

家に帰ると、それを待っていたかのように島根県の幸ちゃんのお母さんから電話があり、幸ちゃんのこと、心配していると言う。長くかかるようなら応援に行こうかと言う。そうしてくれたら大変嬉しい。そうなれば、幸ちゃんの回復が早くなるかもしれない。少しだけ期待して待つことにしよう。

夕方5時すぎにパート先の知人の田中さんが見舞いに来た。田中さんを見ると幸ちゃんは、目を閉じてしまった。約束通りに金を返さない彼女に無言の抗議なのだろう。田中さんから1階の待合室で詳しく話を聞くと、幸ちゃんから50万円借りているが、やはり返金していないと言う。もう一か月待ってほしいと言う。（後日談、この年11月に田中さんは車両事故で亡くなったというので、借用書を彼女の家族に見せたが無駄であった。1円も返ってこなかった。高い香典代となってしまった。簡単に人に金を貸してはならぬという教訓であった。）

そして夕食の時間となった。昨夜から、おかず類もほとんどくずしたりしない、自然の形のままで出ている。スープ状にはしない食事になったのである。嚙む力が必要なためか、口がよく動く。これもまた身体には良いのだろう。本当に少しずつ、わずかずつ、良くなってきている気がする。そして、今日は、よく微笑《ほほえ》む。今まで無表情なことが多かったが、今日は表情が出てきたと思う。彼女の病状が良くなると、自然と自分の食欲も出てくるのである。夕食中、幸ちゃんは大あくびを三度もし、食事の途中で眠ってしまったのには吉野さんと顔を見合わせ大笑いした。

明日から本格的に仕事である。幸ちゃんに会えるのは仕事が終わってからだから、早くても19時すぎか。

司令部出勤

9月12日㈪　入院14日目

出勤した。2週間ぶりのMR（MORNING　REPORTの略・中部航空方面隊司令官に対しての朝の報告会である）。防衛課長A1佐は、先週の9日㈮に亡くなったという。今夜が通夜で明日が告別式というので、落ち着かない司令部内であった。

総務課長、監理部長、そして中空司令官に長い休暇の礼と、カミさんの病状を報告した。監理部長は、相変わらず帰れ、帰っていいよと言う。しかし、相棒のK1尉は、ウガンダ派遣要員の事前教育のため、今日から小牧基地に出張なのである。これ以上、法務班をカラッポにするわけにはいかないのである。

今日だけでも電話が府中の航空総隊からと六本木の航空幕僚監部から電話が鳴ること、鳴ること、鳴ること。午後に、第3補給処の阿久津事務官、中村技官、中警司（空曹）の川本ちゃんが来てくれて、幸ちゃんのことを心配してくれた。ありがとう。みん

司令部屋上での表彰式

な、幸ちゃんとは面識のある仲である。

☆今日で14日目。病室に入ると夕食中であった。今日は集中治療室で検査を受けようとしたところ、幸ちゃんはあばれ、抵抗したという。元気になったと喜ぶべきか、それとも何もわからず抵抗することを悲しむべきか、わからないのである。今日の彼女の表情は精彩がない。

食事後、眠り始めたので、僕は家に帰った。幸ちゃんの食欲は旺盛であった。結構なことである。しかし、相変わらず言葉は発しない。無言のままである。

9月13日㈫　入院15日目

防衛課長A1佐の葬儀と告別式であった。参列者は多く、会場はいっぱいの人であふれ、立派な葬儀であった。豪雨のなか、ずぶ濡れになって見送った。マイクロバスで基地に戻った。

部屋に戻ると、すぐに中空司令官が、「よう、百々（どど）ちゃん、大変だな。奥さんに倒られるのは一番つらいよな」と言いながら、いつもの総務課の司令官の指定席のソファに深々と座る。その席に着かれると、すぐに女性事務官がお気に入りの珈琲を司令官にお出しするのである。その席は自分の席のほぼ真横にあり、2メートルもないほどの距離の近さなのである。

「今は、まだ薬で麻痺しているので、言葉はまだまだ出て来ないです。時間のかかる病気のようですので、気長にいこうと思っています。社会復帰はできないだろうと先生は言われるので、その点は半分あきらめています」と司令官のソファの横に立ち、そう話をすると、司令官は「そうか。しかし、この病気は怖いよな。奥さんは何か兆候というか、前ぶれのようなサインはあったのかね？　手、足とかは大丈夫だったかね？」と次々と質問される。「しかし、どどちゃんは明るいからいいよ。明るいのが一番だよ。今日は残念だな。この雨じゃテニスは中止だ」。そう言って司令官は、自室に戻って行

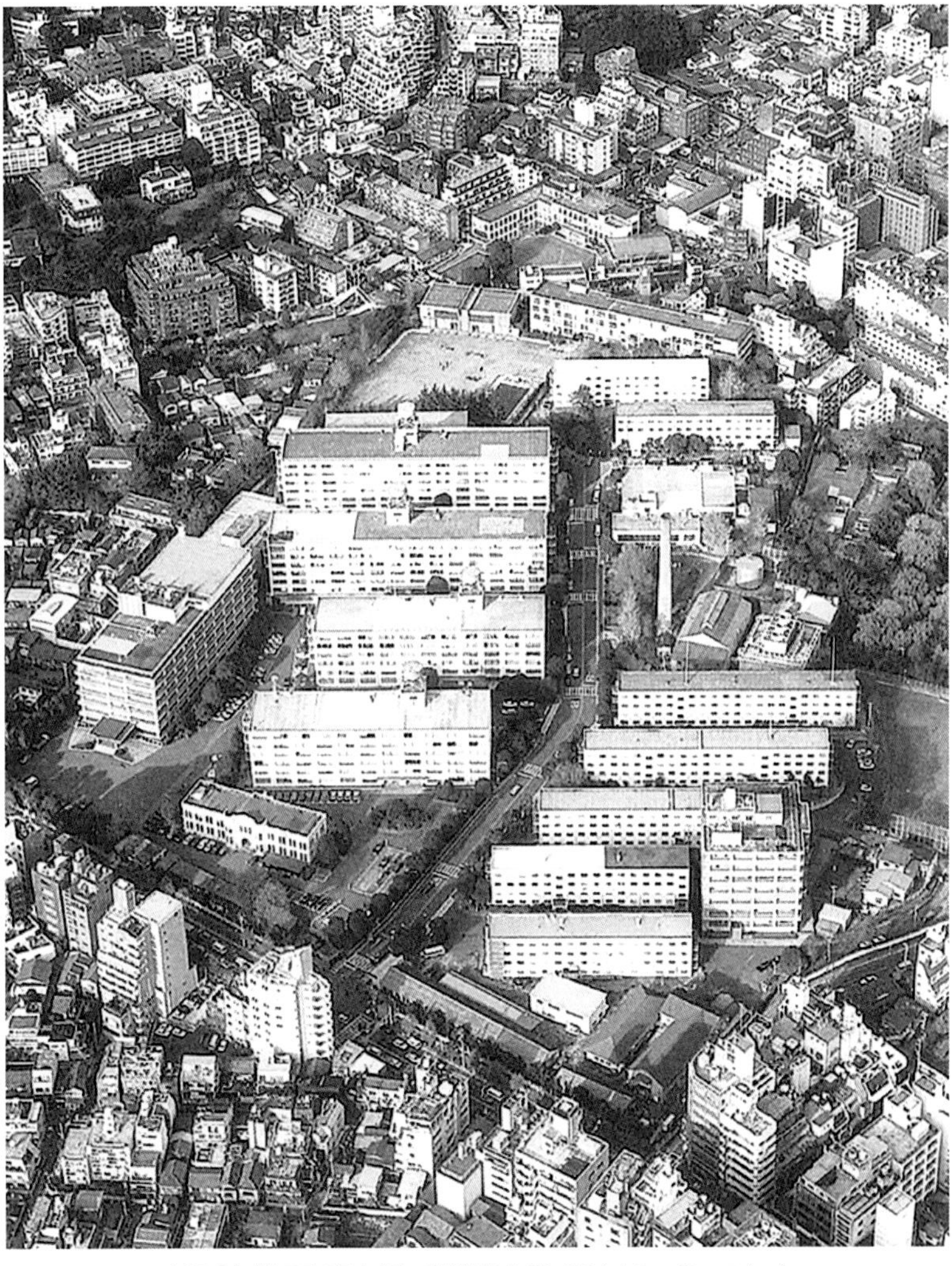

1990年代の東京赤坂・防衛庁本庁（現東京ミッド・タウン）
（1963年、当時自分は、23歳。都電通勤していた）

かれた。（司令官とは14年ほど前、当時、防衛庁、航空幕僚監部は檜町・六本木にあり、そこで一緒に仕事して以来、親しくさせていただいているのである。）

☆病室に入ると、幸ちゃんがベッド上で上半身を立てているのに、まず驚いた。そして、口を開けたり、すぼめたりして、何かを言っているのである。軽い訓練をしてもらったという。しかし、まだ音声は出ないのである。朝と昼の食事は、たっぷり噛んで食べたという。

先ほどから幸ちゃんはよく笑う。これだけでもこっちは、嬉しい気持ちになった。彼女が夕食を食べ終えるのを見とどけて、家路についた。言葉が出るのはまだまだであろうが、気長に、気長に、気長に行こうである。

しらね演習

9月14日㈬　入院16日目

昨日に続き今日も雨である。時に激しい降りである。ストーリーを設定した大がかりな戦闘訓練である「しらねの演習」が開始となり、事務官は13時から2時間深い深い深い地下での勤務である。エレベーターなしなのである。自衛官の勤務はぶっ通しである。事務官は当番制で文書業務を行う。事務官には2時間キツイ勤務であり、これが2週間続くのである。

☆病室に入ると昨日と違い、幸ちゃんは、寝て食事をしていた、体調が悪いという。よく食べるのだが、便秘気味だという。今日は笑顔がなく、うつろな表情であった。しかし、元気がない。昨日はあんなにいい表情をしていたのに、と思う。気持ちが落ち込みながら帰宅した。

9月15日㈭　入院17日目　敬老の日

祝日である。朝5時半起床。テニスの壁打ち20分。シャワーを浴びたあと横になると、1時間ほど寝てしまった。

朝10時すぎ　いつも通り自転車で病院へ。付き添いの吉野さんが今日の昼から5日間休養したいと言うので、しばらくの間、中山さんという新しい付き添いの人が来た。しかし、そのことで幸ちゃんは昨日からむくれていて、機嫌が悪いという。笑顔はなかった。中山さんも、いい人である。ただ、まだ馴れないのである。この部屋の付き添いさん、患者さん、そして別の部屋の付き添いさんまで、幸ちゃんは「どんな声なのかしらね」と言う。「こんなにきれいな人なんだからね、どういう声か興味がある」と言う。いつも、いっとき、幸ちゃんのベッドに集まってくるのである。嬉しいことである。人気者である。

9月16日㈮　入院18日目

職場の事務室のデスクで書類作成していると、「その後、奥さんの具合どう？　良くなったかね？」と言いながら、司令官がいつもの指定席のソファに腰をおろす。「司令官、この病気は2、3日で良くなったりはしません」と強い口調で言うと、「そう、早く治るといいね。半年はかかるだろうな、早くとも」と言う。そして何度も「早く良くなるといいね」と言う。嬉しく思った。

そしてつい自分は調子にのって言ってしまった。「司令官、今日の昼、テニスしませんか？　１人足りないのです。調査課長、Ｔ２佐、そして自分だけなのです。３人じゃ、できんのです」と。〝人が足りないので加われ〟とは。うっかり司令官に言ってしまって、ハッとした。親しくしてもらっていての思い上がりが過ぎてしまったと、すぐ反省した。司令官はそれに対して少しも表情を変えず、「今日は下手を相手にテニスしてやるか」と言う。そばで監理部長のＯ１佐が笑って見ていた。

話題はそこから、「男の財産は友人である。いい友人を、いかに多く持つかでその男の価値判断ができる」と言う。ある意味では納得できたが、自問自答してみた。そこへ副官が司令官に来客が見えたことを告げると、司令官は「おっ、そうか」と部屋を出て行かれた。暫らくして運用２班長のＴ２佐が、「奥さん大変でしたね。テニスどころじゃないね」と心配して来てくれた。いつもは仕事のこととテニスでしか接したことがない彼が、わざわざ来てくれた。彼の暖かさが嬉しかった。

☆病室に入ると、幸ちゃんは夕食の最中であった。食欲は旺盛なので、幾らか安心し帰宅した。

島根県のお母さんから電話があり、「気長に、気長に、気長に行きましょう。今はお寺のお手伝いをしているので、急には辞められない」と言う。「幸ちゃんの病気は赤子になったようなもの。遊びながら治しましょう」と言う。その表現に感心すると同時に、重く、重く担いでいた肩の重いものが軽くなったような気がした。

9月17日(土)　入院19日目

洗濯を済ませ自転車で郵便局へ。徳島の自衛官OBの玉野さんからスダチを送っていただいたのだが、留守していたので局留めだったのである。昼すぎ、島根のお母さんから二十世紀梨が届いたので、スダチと梨を下の階の吉田さんにお裾わけした。

病室に行くと、変化はあまり感じなかった。が、こっちの話していることは全てわかるように思えた。だいたい返事(首をたてにしたり、横にしたりするのである)をするか、目の動きと口の動きで返事をしているように思う。

夜7時ころ、夕飯のため家に帰り、島根のお母さんに梨のお礼を言い、幸ちゃんがおやつに梨を少しだけ手で口に運び食べたことを話すと、「もう今年は、幸ちゃんに食べてもらえないかと思っていました」と言う。この病気だから、半分は諦めていたのだろう。お母さんは、「今年いっぱいはお寺を動けないです。でも、その後はお宅にやっかいになります。よろしくお願いします」と言う。「こちらこそよろしくお願いします」と返事をし、「一度、幸ちゃんの顔を見に来てください。お母さんの顔を見たら、元気づけられると思います」と言うと、「そうね」と言う。

9月18日(日)　入院20日目

昨日、幸ちゃんに、チャイコフスキーのピアノコンチェルト第1番のCDを聞かせた。イヤホンを耳にさしてあげると、嬉しそうな表情をした。好きな曲なのだ。早くコンサートに行けるようになるといいのだけれど。そして、早く吉野さんに戻ってほしい。ここ2~3日、幸ちゃんには、あの、にこやかさがないのである。

20分かべ打ち、シャワー、洗濯と、土日の朝はすっかりこのパターンである。

昼すぎに、下の階の吉田さんご一家が見舞いに来てくれた。幸ちゃんもよほど嬉しかったのか、ニコニコと海クン、ナナちゃんと握手していた。今日は日曜日のせいか、日本橋のキエさん、義弟の隆君も、わざわざ横浜から来てくれたのである。ありがとう。

9月19日(月)　入院21日目

ＭＲの後、司令官が部屋に見えられ、いつもの指定席にどっかと座られ、先日起きた茨城県の百里基地の車両事故の補償についてご質問があった。資料を示し、補償内容をご説明すると納得されたのでほっとする。「司令官、今日はテニスしますか？」と言うと、「人が足りないのなら入るよ」と先週のことを皮肉るのである。司令官はつけ加える。「僕はけっこう物覚えがいいのと、執念深いので、ことあるごとに言い続ける」と言う。司令官、監理部長、自分の３人揃って、顔を見合わせて大笑いであった。

☆入院21日目である。良くなってきていると思う。目の動き、口の動き、そして今日はよく鼻をすうのである。鼻水が出ている訳ではないのにである。

布施先生は、今日は休暇と言いながら出勤されていたので、幸ちゃんの容体を伺うと、「リハビリが必要です。所沢にある国立障害者リハビリテーションセンター病院に問い合わせているが、空きがないので１か月くらい待ちという状況です」と言う。28日に血液の流れを見る〝ぞうえい〟の検査をすると言う。「先生よろしくお願いいたします」と頼んで病室に戻った。

9月20日㈫　入院22日目

朝、電話で証券会社の島村さんに、幸ちゃんのその後の病状を伝えると喜んでくれた。そして、株のうち一部を現金に換えてくれるよう依頼した。今年中にと。

病室に入ると、彼女は夕食をとっていた。いい顔をしていた。ほっとした。10日分の付添婦代を支払った。

所沢市の国立障害者リハビリセンター病院
入院手続き準備

9月21日㈬　入院23日目

朝9時　所沢市の国立障害者リハセン病院に電話すると、紹介状だけではだめで、レントゲンフィルムも必要と言う。すぐ三愛病院に連絡し、レントゲンフィルムを準備してもらった。

明日、半日休暇をとり所沢市の国立障害者リハセン病院に入院手続きと下見に行くことにした。幸ちゃんのリハビリには、良い病院だと思う。自分の勤務先である入間基地に近いからである。近いのが一番いいと思うからだ。良い先生が揃っておられるとも聞く。入院したから確実に治るという保証はないのであるけれども、やはり今はリハビリが必要であり、それは、早ければ早いほど良いと思う。気長に、気長にあせらず治していこうと思う。

ただ、看護の人の話では、ここでのリハビリは厳しく、訓練に耐えられずに実家へ逃げ帰った人が何人かいたという話である。幸ちゃんは、その訓練に耐えることができるであろうか？　気になったことである。大丈夫！　大丈夫！

昼3時すぎに、めずらしく新田原基地（宮崎県）S2佐から電話であった。幸ちゃんの入院のことは何も知らず、社交辞令で「奥さん元気ですか？」と聞いてきたことから話が進み、「若いのになあ、僕より一つ上でしたよね。奥さんに言っといてください。今度、S2佐が見舞いに行くと」。相変わらずの早口で一方的にまくし立てるのである。

☆病室に入ると、彼女は食事を終えたところであった。今日は脳波の検査をしたという。疲れたのか、ぐったりした表情をしていた。パジャマがいると吉野さんがいうので、ハイソックスとパジャマを夕食後、届けた。右足には仮義足がつけられていた。痛々しかった。「ガンバレ幸子。病に負けるな、きっと良くなる」と、家に帰る夜道を、自転車をこぎながら声に出して言っている自分である。

第3章　「これは『失語症』です」

幸ちゃん初歩行

9月22日㈭　入院24日目

所沢市の国立障害者リハセン病院に、入院手続きをするために向かった。早めに着いたが、受付では組合員証が必要だというので、入間基地まで取りに帰った。受付は午前11時まで。午後は受け付けないという。その上、土日が休みで、明日は秋分の日（金・祝）で休み。今日を逃すと来週、月曜日になってしまうのである。急ぎ入間基地の事務室に引き返したのが10時、あと1時間しかない。急げば間に合う。中警司の川本ちゃんに無理を言い、彼の車に乗って国立リハセン病院へ。

受付終了したのは、締め切り10分前であった。川本ちゃん、ありがとう。迷惑かけました。先生との簡単な問診は、午後からであった。休暇は午前中だけだったので、1日休暇に変更すべく部長に事情を話し、午後も休暇ということで了承してもらった。

午後から紹介された先生の問診が行われた。同じような質問を何度もされる。そして先生からの結論は、「これは『失語症』です」。以前のとおりには治らぬ可能性が強いと言う。何ということだろう。彼女は、普通に話すことはできないと言う。本当だろうか？　信じられなかった。天は残酷なものだ。神は非情なものだ、と思う。まじめにこつこつ働いていた平凡な人間を、一瞬のうちに話のできない人に。言葉と、そして声を奪ってしまうのだから。なんとむごいことであろうか。先生に挨拶をして退室した。

廊下に出ると、この病院は大きく廊下の幅も広い、長い。車椅子の人たちが、スイスイ通り抜けていく。若い人が多い。この人たちは、車両事故でのリハビリかな？　と勝手に想像してしまうほど、若い人が多い。この人たちくらいに元気になってくれたらと思った。空き部屋ができ次第、入院できることになった。2～3週間か、あるいは1か月後くらいと言う。病院を出たのは、17時をすぎていた。どしゃ降りの雨の中、暗い気持ちで幸ちゃんのいる病院に向かった。

病室に入ると、なんと、今日幸ちゃんは数メートル歩いたと言う。（もちろん、吉野さんの肩を借りてであるが）。往復で10メートル歩いたと言う。つい数時間前、言語の回復不能に近い診断を聞き、落胆していただけに嬉しかった。良かったね、幸ちゃん。しかし、注文していた義足は不要になった。一度も使用していないのに7万8000円支払うこととなった。注文したのだから仕方ないか。足が治ることを思えば、安い金額と思わねば。しかし、初めて歩行したせいで疲れたのか表情はすぐれない。ぐったりした顔をしている。

幸ちゃん初発言語

9月23日㈮　入院25日目　秋分の日

寝坊をしてしまった。朝7時すぎから雨の中、壁打ちをやった。ただし、いつもの半分15分だけであった。シャワーはマンションの配水管工事のため省略。幸ちゃんが、昨日初めて歩行できたということを、義弟の隆君、弟の鐵樹、次代姉たちに知らせると、皆よろこんでくれた。

　プリンを食べ終えたあと、幸ちゃんは吉野さんに何かを言いたそうに訴える。しかし、何を言おうとしているのかまったくわからないでいた。すると、口を大きく開け、「あっー」と言うのである。何度もである。何度も「あっー」、そして小さく「いっー」と言う。前に訓練した時の、「あ・い・う・え・お」を言おうとしたのであろう。

「この花は?・」と聞くと、「はーまー」と言う。「花」と言おうとしたらしい。言葉（単語）が初めて出たのである。吉野さんは、涙を流して喜んでくれた。そして、幸ちゃんも必死なのである。目頭に涙がたまっていた。僕は自然に「幸ちゃん、おめでとう。良かったね」と言い、拍手を送りながら涙が出てきた。まだまだだろうけど、最初の一歩だろうけど、これから、少しずつ言葉が出ることを望みたい。

　昨日初めて歩行したことで、頭の働きに良い影響を与えたのであろうか。歩行できたことにより、身体に、脳に、良い結果をもたらしたのであろうと思われる。

　国立リハセン病院に入院する際に準備してほしいという物品、衣類などが通知されてきた。洗面器、鏡、タオル、下着、カーディガン、セーター、トレーナー等々。いつ入院許可が下りてもいいように揃えておいた。

今日の幸ちゃんは、首をたて横に振ることを覚えたため、これでYES、NOがはっきり意思表示できるようになった。しかし反面、首の動作だけに頼りすぎると、言語、言葉を使わなくなる危険性も感じてしまう。

9月24日㈯　入院26日目

病室に入ると、幸ちゃんはしっかりした表情をしていた。看護師さん、他の付添婦さん。そしていつも顔を見せてくれる患者さんらが幸ちゃんに声を掛けていってくれる。嬉しいことである。

しばらくして、吉野さんと僕の前で思うように言葉が出てこないためであろうか、もどかしいからであろうか、幸ちゃんは顔をゆがめ、声をだして泣きはじめた。最初は何故泣くのか解らず、頭が痛いの？　お腹が痛いの？　と聞いてみると、すべて首を振る。午後も、同様に泣き出した。そして毛布で顔を隠して泣くのである。

思っていることが、何も言葉にならない。声が出せない。ものが言えない。どうして自分はこんなことになったのか？　どうしてこの病気になったのか？　と彼女は思い始め悩みはじめたのだろう。これは、あまりにも残酷な病気である。それに気づいたのだと思う。入院26日目で意識がはっきりと回復してきたということであろう。今までは、手術の麻酔のためであろうか？　彼女の意識はまだ眠っていたのだと思う。それが、やっと確実に意識がもどったのだと考えられる。回復への一里塚となってほしい。

幸ちゃん、今は悲しいけれど、頑張ろうよ!!　この波を、この大波を乗り切ろうよ。それしかないよ。

幸ちゃん初車イス散歩

9月25日(日)　入院27日目

昨夜作ったクリームシチューを病室に持参すると、幸ちゃんは朝食を食べないと言い、お茶も薬も飲まないと言う。ストライキである。思うことが言葉にならず、話ができないことでイライラした挙げ句、食事も薬もイヤだと拒否し、当たり散らしているようでは、まるで駄々っ子である。病人には割とよくある話ではないかと思う。

昼過ぎに幸ちゃんを、よいしょっと車椅子に乗せ、戸外に散歩に出かけた。幸ちゃんは終始非常に嬉しそうな表情をしていた。外に出るのは、入院してから初めてなのである。病室に1か月近くもいたのである。気分が爽快になったと思う。病院の裏手は緑の木々が多く、散策には絶好の場所である。雨上がりの気持ちの良い風が木立の間から吹き抜けていた。幸ちゃんは、にこやかであった。そして、薄日であったのも気持ち良かった。リハビリ病院に入院したら、こういうことはできないだろうと思った。

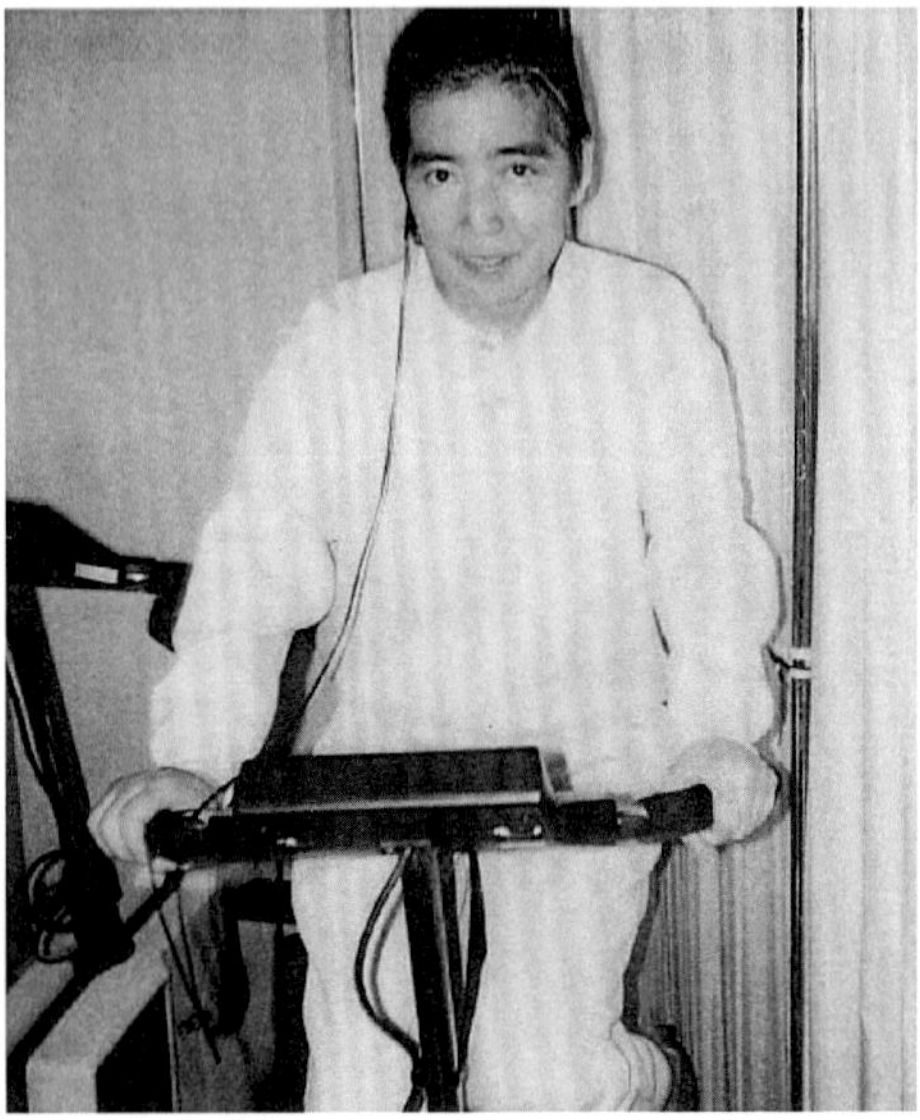

丸坊主でガンバル幸ちゃん

部屋に戻ると、幸ちゃんの弟夫婦と理子ちゃんの3人が見舞いに来てくれた。そして、すぐあとに次代姉も来てくれた。おかげで幸ちゃんはやっと、ニコニコと機嫌が良くなっていた。昨日、一日中泣き通したことがうそのようである。

夜に島根県益田市のお母さんに、幸ちゃんのことを報告すると、すごく喜んでくれた。

9月26日㈪　入院28日目

昼過ぎ、司令官がテニスで流した汗をふき、さっぱりとした顔でいつもの指定席に座って、少し前に起きた笑い話をするのである。司令官と僕がテニスのペアを組んだ時、司令官がファースト・サーブを、なんと僕の頭にうしろからぶつけてきたのである。「なんの恨みがあって、後ろから味方の頭にぶつけるのだろうか！　故意にやったとしか思えない」と、少しオーバーに怒る自分。盛んに謝る司令官。「しかも司令官は笑いを必死にこらえながら謝るのは実に不誠実であり、謝罪の態度に思えない。真剣味がない」と罵《ののし》る自分。その時のコート場は、笑いの渦であった。そんな出来事を、この大部屋で大勢の中でオーバーに表現する司令官である（テニスでは、時に起こることではあり、ボディにあたることもある）。

☆夜7時すぎに病室に入った。今日は、他の部屋まで歩いて行ったと言う。また、看護師さんに車椅子で外に連れて行ってもらったと言う。食事も薬も拒否しなかったとも。それを聞いて、ほっと胸をなでおろした。歩行したり、戸外に出たからであろう。夜も、今日は遅くなったせいか、幸ちゃんの表情には疲れの色があった。そして眠そうであった。

9月27日㈫　入院29日目

朝から雨のなか、珍しく千歳2空団の婦人自衛官のＩ2尉が見えた。明日から羽田で1か月スチュワーデス研修を受けると言う。政府専用機勤務となるのである。「入間に来た時はまた顔見せてくださいよ」と別れた。

☆夜7時すぎ、病室に入ると、幸ちゃんがいないのでびっくりした。ベッドに違う人が横になっていたのである。部屋が２０７号室に変わったとのこと。また出世かな。今日は便もよく出たと言う。今日も歩行で他の部屋に行き、雨のため戸外には行かなかったと言う。涼しくなってきたためカーディガンが欲しいと吉野さんが言うので、いったん家に帰り、2着病室に持ってきた。

あるときの出張帰りのスナップ

幸ちゃんは横になっていた。近所の千葉さんら歩こう会のメンバーが17時ごろ見舞いに来たと言う。お礼の電話を千葉さんにすると、「握手はしてくれたけど、お天気がわるいこともあって疲れていたのか、ニコリとはしてくれなかった。しかし、うなずいてくれた」と言う。そして「幸ちゃんは、人気者ですね。皆さんから、笑顔がすてきなんですよとか、他の部屋の人たちにまで言われていた」と言う。幸ちゃんときたら、どこへいっても花なんだから。それをバネに頑張ってほしい。

9月28日㈬　入院30日目

大雨である。今日の幸ちゃんは、大いにがんばった。１階の訓練室で、歩行においても、足の動作にしても皆が感心したそうである。頑張る意欲が立派だったと言う。治るまでその気持ちを持ち続けてほしい。今まで順調だった向かい側のベッドの婦人は、病状が悪くなり集中治療室に逆もどりしていた。幸ちゃん、負けるなよ、病気に。

今日は、意思もしっかりしていた。冗談で僕が誰かわかる？　と真顔で聞いてみると、何も返事せず、ニコッと笑うのである。照れて、わかるとは言わないのである。

9月29日㈭　入院31日目

夕方4時ごろ職場に、病院の吉野さんから電話である。ドキッとした。勤務先に病院から電話がきたのは初めてである。何だろう？　不安であった。「先生が6時までに来てほしいそうです」と言う。課長に断り病院へ向かった。電車の中から、台風が近づく不気味な黒雲なのに、一瞬、太陽がのぞくという不思議な景色を見た。

布施先生に話を伺った。血管の検査を明日行うと言う。造影検査と言い、2～3時間かかると言う。太もものあたりから血管に造影剤を入れ、血液の流れを頭まで検査するという。失敗の確率は1～2パーセントと言う。信じて任せるしかあるまい。先生が立ち会ってほしいと言うので了承した。

今日で31日目であるが、右手はまったく動かないので、左手にフォークを持って器用に元気に食べている幸ちゃん。しかも吉野さんに半分かかえられ、というか寄りかかりながらでも、歩いてトイレに行くのである。本人の頑張る意志が立派だと、今日も周りの2人の人から言われた。

造影検査

9月30日㈮　入院32日目

台風26号は、関東ルートははずれた。とはいえ大型台風のせいか夜半から風が強く、その音と雨の音（ガラス窓にあたる音）のひどさで、何度か目が覚めた。

朝、勤務先に電話をした。今日、妻が急に検査することになり、立ち会うため休暇を依頼した。課長は、気持ちよく了解してくれた。

頭血管造影検査のため、朝も、昼も食事抜きである。空腹そうで元気がない。検査のため尿を管で出すようになってしまい、それがイヤでたまらないらしく、盛んに立ち上がりトイレに行きたい仕草をする。

昼1時20分ころ、麻酔の注射をうたれると、非常に痛そうな表情をする。5分ほどで意識がなくなり、眠ってしまった。すぐに1階の検査室に運ばれた。廊下で待機し、何事もなく進んでくれることを願った。主な検査は、これで最後という。太ももから血管に薬剤を投入し、血液の流れをX線で撮影するという。特に頭の撮影を主に行う。外は台風一過で蒸し暑く、強風中である。

廊下で待つにしても、1か月前のあの恐怖に似た心理状態とまったく違う。今は彼女が元気になったせいか、まさかのことはあるまいと、若干落ち着いた気持ちである。1時間が過ぎ、爪を噛む。噛むまいと自分に言い聞かせて一時止めても、知らぬ間に再び噛んでいるのである。イライラしているのであろう。気を落ち着かせるため、CDを聞きながら手術の終わるのを待った。

予定より1時間早く終わった。幸ちゃんは、眠ったまま、ベッドで運ばれてきた。廊下からは、自分で病室まで車を押していった。しばらくして、先生から話があった。

「新しい機材で撮ったので、従来よりはっきり鮮明に映っている。内出血はほとんど見受けられない。頭の血管がくっきり見える。そこから、リハビリをすることと、頭、脳に及んだ血が、少しずつ自然に消えていくのを待つほかに手段はない」と言う。やはり、時間がかかる。時間をかけて治すということであろう。

10月1日㈯　入院33日目

昼に入室すると、幸ちゃんは眠っていた。今、眠ったばかりという。調子が悪そうである。やはり昨日の検査のせいであろう。当然、散歩もリハビリも中止である。残念、車椅子で外のフレッシュな空気に触れさせてあげようと思っていたのである。麻酔薬だけでも相当身体にこたえると思う。調子が悪くなるのも当然だ。ずうーっと眠りっぱなしの幸ちゃんなので、夕方来ることを吉野さんに告げ、家に帰った。

昼3時すぎ、弟の隆くんが来たので一緒に病室へ行った。幸ちゃんは、目を覚ましたがまだ非常に眠そうであった。眠そうに夕食を食べている幸ちゃんをあとに、隆くんと大雨のなか家に帰った。

10月2日(日)　入院34日目

トマト1個と、ご飯にみそ汁をかけ軽い朝食をすまし、日曜日だが仕事がたまっているので入間基地へ。事務室に入ると、空曹長の松っちゃんが1人仕事をしていた。自分は残務整理し、1時間ほどで基地を出た。

☆病室に入ると、幸ちゃんはまだ眠っていた。日本橋のキエさんが来てくれて目を覚ましたものの、キエさんを誰かわからぬという。今日もまだ、麻酔の中、夢うつつの中なのだろう。歩こう会（住まいの団地の奥さん10人ほどで毎日、夜8時から散歩する会である）の奥さん2人が見舞いに見えたが、誰が誰やら識別できない状態では会っても仕方がないと思い、事情を話し帰っていただいた。

昼3時　彼女はまた眠りに入った。1階の待合い室で待ち、夕方4時すぎに病室に入ると、幸ちゃんは起きていた。食事が来るのを今か今かと待っている。食事が運ばれてくると、好きな鶏肉ばかり食べる。そして7～8回はアクビをする。食事が終わると、すぐ睡魔が襲ってきたのかうとうとし、そして眠ってしまった。今の幸ちゃんは、先週までの元気さはなく、麻酔がとれないフラフラ状態である。痛々しい苦しそうな表情をすることが多い。

10月3日(月)　入院35日目

昼近くに司令官が監理部総務課大部屋のいつもの指定席に着いてゴルフ談議に花が咲いた。(ゴルフ談議は省略。というのは、ゴルフの話題になるとゴルフを全くやらない自分は、うわの空で話には加わらないのである。いや加われないのである。ゴルフの用語一つ全く解らないのであるから仕方あるまい)。そんな話の中から、こう言われたことが頭に残った。司令官は、「失敗はたくさん作ると良い。その失敗を失敗の引き出しにたくさん入れるといい。引っ張り出す引き出しをたくさん持っていることはその後の人生を豊かにするんだよ」と言われた。この言葉を理解するのにはなかなか自分には難しいと感じてしまった。

☆夜7時　病室に入った。先生の話では「良くなったり、悪くなったりしながら経過していく」と言う。一進一退ということであろう。朝、昼は、あまり食べなかった。しかし、夕食はけっこう食べたという。朝と午後の2回、車椅子で散歩に出かけたという。

病院裏手の川べりに鴨がたくさん来ていたそうだ。お茶とお寿司を持参し、ピクニックに行ったような気分だったという。

散歩中、幸ちゃんは盛んに口を開け、あー、あー、と声を出していたという。病室では声を出すのを遠慮していたのだと思う。外に出たので、思いっきり声を出したのだろう。病室では何人も人がいるので、声を出すのが恥ずかしいのである。幸ちゃん、そんな遠慮よそうよ、自分の病気を治すためなら少しぐらいの発声は良いじゃないか。もう少し図太くなってほしい。

10月4日㈫　入院36日目

課業開始前に中警団（空曹）の川本ちゃんから電話があった。何かと思えば、幸ちゃんが所沢市の国立障害者リハビリセンター病院へ移動する時には、運転手付きで自分の車を是非使ってほしいと言う。自分は車の免許を持っていないので嬉しかった。わざわざ言ってきてくれたのである。ありがとう。その親切に感謝！

☆夜7時すぎに病室に入り、幸ちゃん！　と呼びかけると目を開けた。昨日より心持ち良くなっているように見えた。ほんの少しだけではあるけれども、そう見えた。リハビリ（健康トレーニング）を今日から再開したという。何もかも、自分でさせようという方針に、幸ちゃんは懸命に頑張っているとほかの付き添いの人が言う。けなげに頑張っていると。焦らず、少しずつ、良くなることを願うだけである。

10月5日㈬　入院37日目

朝、出勤すると、今日の未明に百里基地のファントム戦闘機が北海道でロス（失踪）したという。夕方、陸地に衝突したことが判明したが、一日中、その事故関係の対応で多忙であった。

☆今日の幸ちゃんは、顔色も表情も良かった。リハビリも順調であったという。食欲も結構あり、散歩も吉野さんと行ったという。そういう話を聞くと、ほっとする。今日の自分の仕事は多忙で、息もつけないほどであったけれども、幸ちゃんの症状が少しでも良くなると、安らぎを覚える。今のところ、手足の運動リハビリは良いのだが、この病院には、言葉、言語の先生、専門医の方がいないので、そのことが残念である。一刻も早く言語のリハビリを受けさせたいのだ。

10月6日㈭　入院38日目

昼は手弁当である。食べ終えて好きなｊａｚｚをＣＤで聞き始め２曲目に入った時、「百々さん」と呼ばれイヤホンをはずし見ると、６空団（石川県小松基地）に転属したＳ３佐である。「久しぶりだね、元気でしたか」と言うと「はい、元気でした」と言う。椅子を進めると「時間がないのです。５分しかないいんです。今日は挨拶だけで失礼します」。むさし演習統裁官教育でＴ－４（練習機）で来たという。「帰りは何時？」16時ですという。業務の質問をいくつかすると誠実に返事がかえってきた。彼はＲＦ－４ファントム戦闘機のパイロットである。立ちっぱなしで、まともに話もできず、彼は何度も頭を下げ帰って行った。どうか元気でと思った。

☆病室に入ると、付き添いの人たちが「幸ちゃん、たった今、誰の手も借りずに１人で立って歩いたばかりなのよ」と言う。僕に見せたかったと言う。血色は良かったが、リハビリと歩行とで疲れたのだろう、表情は眠そうであった。

司令部屋上での表彰式

10月7日㈮　入院39日目

航空総隊司令官（府中）が、入間基地から福島県にある大滝根山分屯基地を視察されるというので、中空司令官はその見送りに行かれた。しばらく後、帰って来られて監理部に姿を見せた。司令官は、いつもの指定席に着くと、女子事務官がいれてくれたコーヒーをゆっくり飲まれた。そして、「百々《どど》ちゃん、今度、栄養剤持ってきてやる」と言う。自分は疲れた表情をしていたのかな？　今日の司令官の話題は、ご自分の親戚に公務員の人がいると言う。そして、その人は几帳面すぎて息つく間もない生活を送っていると言う。自分にはできない生き方だと言う。人生は、楽しまなくては。書でいえばその人は見事な楷書で、自分は乱れた草書だと言う。自分は遊びすぎているとも言う。

人はそれぞれで、楷書の人もいれば、草書、行書の人もいる。自分ができないことをやれる人というのは、尊敬に値すると言う。司令官の話は、そこからふくらみ、「自衛官のモラルの原点は、公共への奉仕であると自分は考える」と言われる。今日の司令官の話には、強い説得力があった。心から納得できた。そして、それは有難い高僧から聞かされた話のようであった。

☆病室に入るや、吉野さんが、「幸ちゃんが、今の今まで歩いてたんだよ。誰の支えもなく歩いていたんだよ」と言う。「信じられない」と嬉しくて言ってしまった。今日は、近くのダイエーまで車椅子で行き、自分の足だけで散歩もしたという。

10月8日㈯　入院40日目

嬉しいことに、幸ちゃんは何の支えもなくスムーズに歩行ができるようになった。

偶然、院長先生の回診にあった。院長先生は、「自宅で面倒を見てくれる人がいるのであれば、退院できる」と言う。しかし、うちの場合、家には誰もいないことと、所沢市の国立障害者リハビリセンター病院の空き待ちの話をすると、「じゃあそれまで、ここにいるといいよ」と言う。鶴の一声であった。

昼食のため、家に帰った。午後から、幸ちゃんの運動リハビリがあるというので見てみようと思い、病院へ行った。廊下で八王子の幸ちゃんの兄の宏さんに会った。挨拶を交わしているところへ、幸ちゃんと吉野さんの2人がエレベーターの前に立っているのを見て、宏兄は驚きながら「もう立って歩行できるのですか？」と言う。自慢げに「はい、歩けるんです」と言う自分である。

4人でエレベーターに乗り1階へ。幸ちゃんは、リハビリ室へ。まず横になり、両足の屈伸、両手の運動、そして身障者用の靴の脱ぎ方とはき方から自転車のりと次々と課題をこなしていく。リハビリの先生までが、幸ちゃん、幸ちゃん、ガンバッテと言っている。すると、大きな拍手が湧いた。うまくクリアしたのである。しかし最後の自転車こぎは、きつそうであった。

病室に戻り、壁を背に丸椅子に座ったが30分後、疲れたのかベッドに横になった。その直後、宏兄は帰っていった。それを待っていたかのように幸ちゃんが1人で立ち上がるので、「散歩かい？」と聞くとうなずくので、靴をはかせると1人で勝手に歩きだし、どんどん先に行く。僕はただ幸ちゃんに従って、あとを追うだけであった。廊下でもエレベーターの前でも、「良かったね、歩けるようになって」「早い回復だね」「2人でデートなの」と何人もの人が声を掛けてくれる。嬉しいことだと思う。声を掛けてもらう度に、人々の親切さ、優しさが身にしみた。この人たち自身も、何かの病気と戦っているのである。なのに他の人に優しさや愛情を示す余裕、ゆとりがあるのである。自分も見習わなくては。他の人に優しく親切に接しなくてはと思う。

幸ちゃんの後ろに付いていていながら、やはり目を離すことはできなかった。1人で歩けるといっても、健康な人の歩き方とは全く違うのである。まだまだ病人の歩き方なのである。つまずいて転んだりしたら、頭の状態はどうなるかわからないのである。1階のロビーまで来て、大きなソファに座った。窓の外を行き交う車の動きと人の動きを、じーっと見つめている。何を思い、何を考えているのか、僕には解らない。しかし、静かにソファに2人並んで座っているだけで、心が落ち着いた。久しぶりである。ああ、夫婦って、いいもんだなあ！　と改めて思った。幸ちゃん、回復したらハイキングでも温泉でも行こうか。じっくり楽しんでこよう。彼女は無言で大きくうなずいた。

今日は、吉野さんや他の付き添いの人たちとジョークまじりの話に何度も笑い声が出た彼女であった。ウフフという笑い声は、昔と少しも違ってはいない声であった。

幸ちゃんがあまりに夕食を食べないでいるので、吉野さんが「なに食べたいの？」と聞くと、「おーとー」と口を開け声が出かかったが、結局はこの二言だけであった。一瞬、言葉が出るのかとドキッとしたが、しかし無理であった。言葉は出なかった。まだまだである。

10月9日(日)　入院41日目

入間航空祭の日である。入間航空祭は、東京近郊で唯一ブルーインパルスの曲技飛行を見ることができる航空祭で、アクセスも良いことから例年、多くの訪問者を集めている。10万人から、多い年で32万人の年もあり、人気のある航空祭なのである。いつも通りに出勤し、17：00過ぎに帰った。

法務補佐官の面々

☆病院の階段で幸ちゃんとバッタリ会った。ビックリした。1人でベッドを出てきたらしい。部屋の人たちが大騒ぎしていた。他の人の手を借りずに、1人で階段を降りることができたのである。階段を自分で降りたのは初めてである。1階のロビーのソファに2人で座った。今日はよほど体調が良いのか、よく笑う。

20分ほどで部屋に戻ると、吉野さんに大目玉をくらう幸ちゃんである。吉野さんがお風呂に行っている間に、1人で階段を降りてしまったのである。今日は、階段の登り降りを吉野さんに教えてもらったという。自信がついたのか、もっと復習したかったのだろう。

「1人で抜け出すことは、絶対ダメ」と吉野さんに、きつく言われた幸ちゃん。「これからは、いっそう目が放せない」と部屋の付き添いの人たちが言う。

今日は、幸ちゃんの幼友達の増野さんが、島根県から女子大生のお子さんと2人で見舞いに来てくれて、2人で涙を流していたそうだ。幸ちゃんも、何十年ぶりの対面に嬉しかったのだろう。そろそろ、所沢の国立障害者リハビリセンター病院から入院許可の声がかかっても良い頃と思うのだが。

第4章　42日ぶりの我が家。そして退院

8時間の初外出許可

10月10日(月)　入院42日目　体育の日

朝9時30分すぎに病院の吉野さんから電話である。幸ちゃんに8時間の外出許可が出たので11時に迎えに来てと言う。「はい、わかりました」と受話器を置いた。おっ、嬉しい。帰ってくる。わずか8時間だけど、初めてである。さっそく昼食、夕食を作らねばと買い物に出かけた。美味いものを作ってあげよう。新鮮な秋刀魚、鶏の照り焼き、みそ汁、そして野菜と果物、等々。

病室に着くと、リハビリに行っているという。しばらくして戻って来た。明るく元気そうである。8時間でも、初めて家に帰れるのが嬉しいのであろう。

マンションからの眺め

昼少し前に部屋の皆さんに挨拶し、タクシーで家に帰ってきた。入院後、初めて帰宅したのだ。ドアを開け、玄関に入る。42日ぶりの我が家である。どんな気持ちなのだろう？　ソファでゆったり腰掛けていたが、隣の和室に用意していた布団の上に横になり眠りはじめたので、そっとしておき昼食の支度をした。

しばらくして目を覚ましたので、テーブルに食べ物を並べると、一口も食べない。バナナを無理やり手に持たせると、やっと半分ほど食べた。しかし、後は何も食べていない。そのうえ、せっかく洗濯して干してあるものを盛んにずらしたり、何が気に入らぬのか動かそうとする。行動がおかしい？　おやつに好物のプリンを出しても、たった二口か三口しか口にしない。どうして食べないのか？　まったくわからない。「食べないと回復しないよ」と、何度言ってもわかってくれないのである。

吉野さんが言っていたように、目が離せない。僕の机の隣に立って、窓の外を見ている。土手を散歩する人、犬を散歩させている人、家族ぐるみ、少年の自転車グループと、見ていて飽きない。下の階の海クン、ナナちゃんに会いに行こうかと言うと、イヤイヤと首を振る。やはり、まだ見られたくないのだな、と思った。人に会いたくはないのだ。そういえば、病院1階ロビーでも、鏡の前のソファにいつも座るのである。そして未だ髪の毛が1センチしか伸びていないイガグリ頭を見ている。鏡の前にすわり、手で頭をなでているのである。この姿では、まだ人には会いたくはないのであろう。

昼3時すぎ、彼女は台所に立ち、一つひとつ見て歩き、疑問に思うものを手に取るので、「それはこの間、注文した梅干し」とか、「それは幸ちゃんが生協に頼んだ玉子スープだよ」とか言うと、うなずく彼女。わかるのであろう。しかし、理解できないこともある。例えばまだ昼の2時、3時だというのに、干してある洗濯物をとりこんで畳んでしまうのは何故か。家事をしたいということかもしれない。

「風呂はいる?」と聞くとうなずく。ゆっくり入浴した。嬉しそうだった。ただ頭だけは、手術の傷口が生々しいので洗うのは止めにした。風呂から上がり「夕飯はうんと食べるんだよ」と言うとうなずく。「本当だよ」と言うと、大きくうなずいた。

料理を作り始めると、心配なのか台所に入ってくる。「幸ちゃんは病人なんだから僕が作る。だから座っていること。元気になったら作ってもらうから」と言うと、ニコッと笑う。できあがって食べる段になると、最初の一口、二口、三口ほど食べて、後は嫌がるのである。どうして食べないのだろう。じゃ、コーヒーにしようというところに吉野さんから「時間がすぎているのよ! 何しているの! 責任もてない! もう二度と外出許可の申請は先生にしにくい!」という電話であった。

あわててタクシーを呼び、幸ちゃんと飛んで行った。ベッドに横になった幸ちゃんは落ち着き、ほっとした表情をしていた。すっかり病院に戻る時間を忘れていた。一生懸命、食べてもらうことばかりに気をとられていたのである。電話がきた時は、19時1分前であった。吉野さんから電話がなかったら何も知らず、まだまだ時間を過ごしていたであろう。19時までに病院に戻る約束だったのである。ごめんなさい。

初めての外出許可が下りて自宅に帰ってきたのであるが、幸ちゃんはまだまだ病人であることをつくづく感じた。正常である時と、少し違っている時とが半々なのである。食事を食べなかったのは、病院の料理（うす味）に慣れてしまったから、僕の味つけが口に合わなかったのではなかろうか？

10月11日(火)　入院43日目

航空祭の代休日である。昨日8時間の外出許可で幸ちゃんは自宅に戻ったが、つくづく思った。幸ちゃんは、良くなるのだろうか？　と。考えると不安になった。

昼から病院へ行った。10日払いの付添婦代14万33円と、病院代、入院費が31万９００0円であった。

病室に入り、彼女に「リハビリに行こうか？」と言うと、素直にうなずく。運動リハビリはかなりきついもので、見ていると痛々しく、気の毒になってしまう。自転車こぎは10分間こぎっぱなし。腕の運動もきつく、30回の基準のところ36回こなした。次は足の先に重石をのせ、片足ずつ上げるもので苦しそうであった。

終わるとグッタリとし、病室に戻った。疲れた表情である。そのためか、機嫌が悪い。食事も食べないと言う。「じゃ、食べなくていい」と放っておくと、自分で箸を持ち、ちょっとだけ口に入れる。見ていると食べないようなので、廊下にしばらく出ていた。吉野さんは「少し、アマノジャクになっているから、そっとしておいた方がいいかも知れない」と言う。

布施先生に「所沢の方からは何か連絡はありませんか?」と伺うと、「いや、今のところ何もないが、近いうちにあると思う」と言われる。一日も早く言語のリハビリを受けさせたいと願っている。今日も何か言おうとして、「あー、あー」と大きな声が出たのだが、それきりであった。本人は、何も言えないもどかしさ、情けなさ、悲しさからだろう、泣きじゃくり始めた。「いいよ、あせらずゆっくり治そう。幸ちゃん」。幸ちゃんの言いたいことは、わかっているのである。「おとうさん（僕のこと）、ごめんね。迷惑かけて」と、そう言いたいのだと思う。彼女はそういう性格なのだ。

幸ちゃん、泣かないでほしい。泣かれると僕はつらい。ふと、もう二度と話ができないことになるかも知れないという不安が頭をかすめる。時間がかかるだろうけれど、焦らず、ゆっくり治していくより他ないであろう。しかし、幸ちゃんの痛ましい姿を目のあたりにすると、可哀想で、気の毒で、身を切られる思いである。右手がまだ動かないのである。病室に入るとすぐ、彼女の右手をにぎったり、ひらいたりの繰り返しをしたり、マッサージをしたりしている。右手も早く治れ！

10月12日㈬　入院44日目

「幸ちゃんの命が助かったのは、日頃からみんなに対する幸ちゃんの真心が天に届いたからよ。みんなに好かれる性格だからこそよ。それが天命だったのよ」と言う。伊藤園子女史（防衛庁の女性職員）からの電話である。ありがとう。運命だったんだろうな、と自分も思う。しばらくして、大沢えりちゃんから電話である。「何か、お手伝いすることありませんか？」と言う。「その気持ちだけで十分です」と自分。彼女も防衛庁の職員で、以前一緒に仕事した仲間である。ありがとう。

☆病室に入ると、彼女はデザートを食べていた。顔色は良かった。食事もほとんど食べたという。昨夜も僕が帰ってから、吉野さんと食べたという。ほっとした。幸ちゃんは僕と2人になり、何かを話そうとして、「あー」としか言えないもどかしさに再び泣き出しそうになる。「幸ちゃん、いいんだよ。ゆっくり治そう。あわてない、あわてない。そのうち話せるようになるんだから。いいんだよ」と彼女の目を見てゆっくり話した。納得したのか、落ち着いた。やはり、「おとうさん、こんなことになってごめんなさい。迷惑かけてすみません」と言いたいのだと思う。

吉野さんが「先生から、無理に話をさせようとしないように」と言われたという。「こっちの言うことがわかるようなら、絶対治る」と言う。「言うことを理解できないと、治る可能性は少ない」そうだ。本当だろうか。幸ちゃん、今は苦しいけれど頑張ろう。

幸ちゃんが入院する4日前に、同じ病気で入院していたKさんが今朝、亡くなったという。信じられなかった。集中治療室で1度、その後の病室で1度、幸ちゃんと一緒の部屋だった。入院当時から元気な人で、何度もイタイ! イタイ! と大声を上げてうるさいほどだった人である。幸ちゃんもあれくらい話せたり、たくましさがあったらなあと何度も思っていた。中学生のお兄ちゃんと小学生の弟が静かに、いつも見舞いに来ていた姿を思い出した。可哀想にあの兄と弟、これからどうやって生きていくのだろうか？　父親らしき人は一度も来なかった。まったくわからないものであるとつくづく思った。

隣のベッドの小室さんは、今日昼ごろ退院したという。川口市で一人暮らしという女性である。60代くらいに見えた人であった。この方は、幸ちゃんにずいぶん親切にしてくれたのである。忘れることはできない。ありがとうございました。どうぞ、お元気で。

10月13日㈭　入院45日目

朝10時すぎ　司令官が見えられ、いつもの指定席に。先週、入間市にある不動明王の高倉寺に行ったという。観音堂には十一面観音菩薩が安置されており、立派であったという。さすが国宝と言う（あとで調べてみると国宝ではなかった）。

午後、司令官が再び見えられて、「仕事と看病で疲れているだろうから、持ってきた」と高価な栄養剤を持ってきてくれた。6本で1万2000円という。コップについでくれたので飲んでみると、甘ずっぱい味であった。

昼3時すぎ　司令官が再び見えられ、いつもの指定席に座り「栄養剤、効いたろう。

元気が増したろう。眼が光ってるよ」と言う。そのあと司令官は、「平安、鎌倉、室町、戦国、そして江戸時代に男色《なんしょく》というのが上流階級で行われていたが何故だろうか？百々ちゃんはどう考えるかね？」と聞かれるので、少し間を置き、う～ん、難しい質問ですね。自分が考えるに、男同士だとあまり気を使わず気さくに話し合える、じっくり飲み合える、そして互いに理解し、親密になりやすい。中世の男尊女卑が当然の時代では、そこから男と男が時により深い関係に入るということは少しも異常ではなく、普通の出来事ではなかったかと思われる。そういう時代だったのではないでしょうか。それが現代とはまったく違うのではないかと考えます」と言うと、司令官は「うん、そうかもしれんな。一理あるな」と言われる。18時から宴会があるからと、副官とともに部屋をあとにされた。

☆病室に入ると、今までで一番良い表情をしていた。ほっとする。しかし僕が家に帰ろうとすると彼女は、毛布、タオル、よだれかけ等を持って一緒に帰るというのである。どうしたのか？　こんなことは初めてである。周囲の人たちの話では、今日、病室の患者さん２人の外出許可が下りて、「風呂に入ってきたとか、洗髪してきた」という話をしていたという。それを聞いて自分も家に帰りたくなったのではなかろうか。いじらしくもあり、子供に帰ってしまったのだろうか？

1階ロビーで帰り支度の布施先生に会った。吉野さんの「15日㈯から16日㈰にかけて、外泊許可をいただけませんか？」の問いに、先生は「いいでしょう」と言われた。「ありがとうございます」とお礼を申し上げた。

しかし嬉しい反面、先日の8時間の日帰りでも結構大変であったのに、24時間以上も一緒となると、気を遣うことおびただしいと思う。目が離せないのである。どこかへ行ってしまったら最後、口がきけないのだから〝迷子〟ならぬ〝迷い大人〟になってしまう。首に、ネーム、アドレス、連絡先などのカードを下げてもらおうか。

10月14日㈮　入院46日目

朝9時すぎに司令官は見えられた。顔を合わせるなり「その後、奥さんの具合どうかね？」ともの静かに聞かれる。「はい、いくらか良くはなってきましたが、まだまだ時間がかかるようです。先週の日曜日は外出許可が出まして、初めて8時間ほど我が家に帰ってきました」と言うと、「あ、そう。それは良かった」と言われる。

しかし、司令官は風邪をひいており体調がすぐれず、テニスもずうーっと休んでいるのである。今日は穏やかでにこやかで話がはずんだ。司令官は、よく「自分の井戸を掘れ」と言う。「自分の補職、専門について、いい水が出るまで掘り続けることが大事である」と言われる。もっと自分の職の専門についての努力を深くまで追い進めよ、もっと自分を磨《みが》けということである。自分には耳が痛い話である。

司令官は小学、中学の頃は東京下町に住んでいたと言う。ずいぶんイタズラをしたようである。見ると、この間《かん》にも次々と幕僚が司令官に決裁をもらいに来ているので、話はストップにした。一件一件じっくりと原議に目を通し、さかんに幕僚に問い正している司令官である。そのやり取りの間、自分はデスクで自分の業務に徹した。
☆病室に入ると吉野さんがベッドに横になり、幸ちゃんはベッドの端に腰掛けていた。「どうしたのです？」と聞くと、「幸ちゃんに振り回されて疲れました」と言う。「どっちが患者さんかわからないですね」と言うと大笑いであった。吉野さんが「お父さん、食事食べていって」と言う。今日で三日続けてであった。食べ終えると、幸ちゃんが僕の口のへりに付いた米粒を自分の左手で取ってくれた。もう以前の幸ちゃんに戻っている感じである。彼女に明日11時ごろ迎えに来ると言うと、もう嬉しそうであった。

帰宅すると、留守電に所沢の国立障害者リハビリセンター病院からの連絡が入っていた。入院は10日後の24日(月)、午前10時までに来ることという。さっそく明日、今の病院のスタッフの皆さんと吉野さんにお知らせしよう。そして入院に際しての所用の品物を揃えなくてはならない。以前から揃えてはいたけれども、衣類にしても冬物はまだ揃えてはいなかったのである。

1泊の初外泊許可

10月15日(土)　入院47日目

昼11時　病室に入ると、幸ちゃんは点滴を受けていた。今朝は調子が良いという。家に帰れる、外泊できるというのが理由かな？　院長先生の回診があった。「今日は外泊です」と言うと、「そりゃ良かった」。「24日に所沢に移ります」と言うと、「それも良かった」と、みんなで喜んでくれた。その後リハビリ室へ。リハビリ運動を一通り済ませ、すぐタクシーを呼び2人で我が家に戻ってきた。

昼1時近かった。食事を用意した。ご飯、梅干し、イクラ、キューリとナスの漬け物、そして豆腐とグリーンピースのみそ汁と納豆である。幸ちゃんは右手を使い始める。一昨日から右手がほんの少しだけ動き始めたばかりなのである。病院では左手で箸もスプーンも器用に使いこなして食べていたというのに、家に帰った途端、何故右手にこだわるのか解らない。何度も、何度も、必死で箸を右手で握ろうとしては失敗し、口に一粒のご飯も入らないのに、ガンバッテいるのである。今の右手の動きでは、箸を使うのはまだ無理と思われる。指に力がそれほどないのである。見るに見かねて左手で食べることを促しても、絶対に聞こうとしない。非常に頑固である。プリンをあげても右手でスプーンを握ろうとする。やはり、まだ握る力はないのにである。一口も口にすることはできなかった。いくら言っても無駄であった。

1時間がすぎ、疲れたのか和室に行き畳の上に横になるので、座布団を2枚用意し、その上に横になってもらった。毛布をかけてあげると少し泣き声をあげていたので、

「幸ちゃん、あせらずゆっくりゆっくり治そう」となだめ、後はそっとしておいた。しばらくしてイビキが聞こえてきた。1時間ほど眠ったあと起きてきたので、幸ちゃんの右手にスプーンを握らせ、僕の手のスプーンから彼女のスプーンにプリンをのせ、それを彼女が口に運んでいく方式にすると、美味しそうに食べた。そして、バナナも二口か三口食べた。一段落であった。

夕刊を取りに6階の部屋から1階まで一緒に階段を降り、そして上がった。夕飯はすしを取った。手づかみで食べることにした。箸、スプーンだと食べるのに時間と手間がかかるのである。幸ちゃんはビールを一口、飲んだ。そして「い・た・た・き・ま・す」と小さな声で手を合わせながら言うのである。やっと、ゆっくりだが、濁音《だくおん》なしの正確な日本語ではないけれど、言うことができた。嬉しかった。

食べ終えて、すぐ何かを言い始めたのだが、何を言っているのか理解できなかったので、キッチンにあるホワイトボードに書いてほしいと言うと、左手で訳の解らぬことを書いた。何だろう？　この文字は？　ミミズが何匹もはい回っている様子にしか見えないのである。ものが言えない。字が書けない。そう思った途端、絶望感が襲ってきた。

その後、彼女は冷蔵庫を開け、一つひとつチェックする。日が暮れてきた時には、レースのカーテンを閉めたりする。それは元気だった頃の彼女の行動そのものなのである。食後しばらくして、彼女のほうから薬を飲む時間を促してきた。しっかり覚えているのには驚いた。

夜6時すぎに風呂に入った。彼女は手が不自由なので、シャボンで全身を洗ってあげた。上がった後、パジャマに着替えソファに座ってもらった。その後、自分が風呂に入ったが、彼女のことが気になるので10分そこそこで上がった。それというのも吉野さんから、この病気の場合、患者さんから目を離さぬこと、そして就寝前には包丁等刃物類は目に付かない場所に隠すことと言われているのである。もちろん自殺防止のためである。幸ちゃんも、やはりまだまだ、不安定要素が大きいのだ。そう考えると、絶対目は離してはならない。

夜11時　床に着いた。僕はいつも布団に入るとバタンキューである。しかし今夜は、彼女がおかしな行動を取らないか心配であった。が、やはり、バタンキューに近かった。

10月16日(日)　入院48日目

朝6時ごろ目を覚ますと、同じように幸ちゃんも目覚めたようだった。あの朝寝坊の人が、今までと違うので驚いた。食事前に散歩に出かけた。遠くへは行かず、近くの荒川河川敷とテニスコートを歩いてきた。

食事を作っているとキッチンに入ってきて、僕の動作をしげしげと見ている。今日はまあ食べた方であろう。昨日の残り物が主であるけれど、牡蠣をみそ汁に入れたり、ダイコンおろしを作ったりした。

日曜日ということで、昼前に隆くんが、その後に宮本さんが見えた。宮本さんを囲み食事になると、幸ちゃんは動作が生き生きしてくる。やはり、他人が来ることは刺激が違うのだろう。ナプキンを用意したり、コーヒーをキッチンに取りに行きお客さんに出そうとしたり、ガス台に湯をかけたりするのである。そう言えば昨夜寝る前に、ガスの元栓を閉めにキッチンに行ったのには、正直驚いた。以前の習慣が記憶にあるのだろうか。昼2時すぎに宮本さんは、帰っていった。

その後、幸ちゃんには風呂に入ってもらい、夕方4時20分ごろタクシーを呼び、病院へ義弟の隆くんと3人で向かった。

看護婦さん、付添婦さん等が幸ちゃんの顔を見るなり、「お帰りなさい。良かった？美味しいもの食べた？」と、みんなが言ってくれる。しかし、見舞いに来た人たちに気を遣ったせいか、疲れたのか、ベッドに入るとすぐ眠ってしまった。

家に帰り、昨夜ホワイトボードに彼女が書いた字を良く見ると、「あじ　あま　あー」と、判読できるのはこの3つだけで、あとはまったく日本語になっていなかった。今の彼女の頭の中は、〝濃い霧の中〟なのかも知れない。ややもやの暗中なのだろうと想像できる。早く霧が晴れることを願っている。

10月17日㈪　入院49日目

MR後、司令官が見えられ、「昨夜は朝まで麻雀をやったよ。睡眠時間が短いな。眠い、眠い」。二日酔いである。声がやたらと大きく、ガラガラ声で刺々《とげとげ》しい。幕僚が決裁をもらいに何人か並んでいるが、司令官の機嫌がよろしくないのである。自分は聞かぬふり、見ぬふりをして、自分の業務に集中した。

☆病室に入ると、幸ちゃんはベッドの脇の丸椅子に腰掛けていた。少し表情がポカンとしている様子なので、「僕が誰かわかる?」と聞くと首を振る。二度聞いてみた。それでも答えは同じで、首を振る。「じゃあ、この人は幸ちゃん? 幸子というんだね?」と彼女自身を指して言うと、やはり首を振る。やっぱりだめか。幸ちゃんはまだおかしいのか?

そこへ吉野さんが来たので今の話をすると、途中から幸ちゃんは声をたてて笑い始めるのである。あっ! なんてヤツだ。人をからかうなんて。こっちは真剣に話をしているのに、である。3人で大笑いした。こんな時に人をからかうなどと思いながら、彼女が少しずつでも元気になった証拠かも知れない。こっちの話すことはすべてわかるのだと確信した日であった。

10月18日㈫　入院50日目

病室に入ると、今日の幸ちゃんは元気があった。運動リハビリも進んでいるという。吉野さんは、このぶんならリハビリ病院に入院しても退院は早いかも知れない、と嬉しいことを言ってくれる。

帰りに病室を見上げると、幸ちゃんが窓から手を振ってくれている。暗闇の中、自転車のライトで僕とわかったのであろう。僕も街灯の近くでは大きく手を振った。早く元気になってほしいと祈りながら。

10月19日㈬　入院51日目

ＭＲから戻ると、司令官がいつものソファにすでに座っておられたのにはびっくりした。ＭＲ室からここへ直行されたのだろう。早いのである。テニス談義に花が咲いた。話題は幸ちゃんのことに及んだ。彼女の症状が徐々に良くなってきたせいか、自分自身、落ち込んだ気持ちが少しずつ薄れ、明るくなってきたのも事実である。司令官との話も、その影響か久しぶりに楽しいものとなった。

「百々《どど》ちゃん、定年後は宮崎に行くと言っていたが今のマンションはどうするのかね？」と聞かれる。「はい、もちろん売って行きます」。「今どれくらいの値をしているのかね？　広さは？　そして場所は？」と立て続けに聞くのである。司令官は、よくゴルフに行く折に自分の自宅近くを高速で通るようなのである。そんな話をしている時、副官が司令官に来客が見えたことを知らせにきた。司令官は自室に戻られた。

☆入院51日目である。病院に着くと、1階のロビーに吉野さんと一緒に幸ちゃんがいたのでびっくりした。ご年配の婦人の車椅子を押しているのである。部屋に戻ると、歩こう会の人たちからいただいた果物を幸ちゃんは部屋の人たち1人ひとりに配るのである。それを見て「幸ちゃん、早く話ができるようになるといいね」と心の中で言っている自分である。こんなに元気になったのだから、足も、手も、こんなに動かすことができるようになってきたのだから、51日でここまでこれたことに感謝！　感謝！　である。

10月20日㈭　入院52日目

所沢の国立障害者リハビリセンター病院で着用する衣類（下着も）すべてにネームを付けてもらうため、大荷物を持ち出勤した。昨日、半分持参したので、今日は残りの半分である。司令部の若い事務官のママさん、相ちゃんに頼んだのである。快く引き受けてくれた。昼の休憩時にやってくれるという。頭が下がる思いである。ありがとう。街のショップに頼もうと思っていたのである。

☆病室に入ると、幸ちゃんがシューズを履き、戸口近くの80代のおばさんのところに行き、カーテンを動かしたり、手をにぎってあげたりしているのである。隣のベッドの奥さんは、「幸ちゃんはお年寄りの方に特に親切ですよ」と言う。それは良いことである。

吉野さんが「今日は幸ちゃん、初めてお漏らしをした」と言うと、幸ちゃんは声を出して笑い、手を口にあてて恥じ入るのである。この仕草は、まったく以前の彼女そのままである。尿もところ選ばず出るのであろう。

夜8時　病室を後にすると、幸ちゃんは1階まで見送ってくれた。

10月21日㈮　入院53日目

朝、所沢の国立障害者リハビリテーション病院に電話をし、「24日に入院する百々幸子のことをよろしくお願いします」と言うと、入院申込書を出してほしいと言う。急であり、昼休み時間を利用して西武電車を乗りついで、航空公園にある国立障害者リハビリセンター病院まで行き、申込書をもらってきた。どしゃ降りの雨であった。

司令官は航空自衛隊会議で檜町基地（六本木）に出張であった。夕方4時ごろ帰って来られ、MR室に各部長等を召集し、訓示であった。それが終了すると、いつもの指定席ソファに座る。絶え間なく次々と幕僚たちが決裁をもらうべく見える。一件一件、時間がかかる。ご下問がかなり多い。副官が来て、司令官は自室に戻られた。緊急の電話が入ったようであった。
☆雨の中、幸ちゃんの待つ病院へ。彼女は、表面上は健康そのものとしか見えない。しかし、言葉は正確には出てこない。悲しいことだが、それが事実である。そして右手がまだまだ不自由なのである。幸ちゃん！　所沢の病院では、言語リハビリと運動リハビリ頑張るのだよ！　看護師さん、付添婦さんの話では、所沢の病院は非常につらい訓練で家に逃げ帰る人もいるという。

10月22日(土)　入院54日目

早朝、雨は止んだ。留守中にきた書留を取りに郵便局へ。自転車できついけれど、浦和市の中心街へ。入院に必要なバッグ、ショルダー、机上鏡等々を買ってきた。明日、三愛病院退院の際に必要な先生、看護師さん、付き添いの方たちへのお礼は吉野さんに全て頼んだ。

結局、幸ちゃんはこの病院に55日間入院していたことになるのである。病室にもどり2人で散歩に出かけた。ダイエーまで、かなりの距離である。タクシーか車椅子で行けばと他の付き添い婦さんが言う。しかし、歩いて出かけた。途中、幸ちゃんは小さい声で歌をハミングする。何の歌かはわからなかった。言葉はなかった。

夜6時すぎ　次代姉が来たので借りていた入院費を返した。利息なしであった。幸ちゃんの株を少し処分したのである。株といえば少し横道に入るが、結婚して2、3年の頃に株をやりたいのだけれど、いい？　と幸ちゃんが遠慮がちに言ってきた。その頃幸ちゃんは、日本橋兜町の財団法人に勤務していたので、兜町という場所柄、職場のレディたちはみな株をやっていて情報を交換していたという。幸ちゃんは最初20万円からスタートして、何十倍に増やしたようである。びっくりである。

救急病院退院

10月23日(日)　入院55日目

家の各部屋の掃除を済ませ、15分テニスの壁打ちをして戻ると、吉野さんから留守電が入っていた。「病院での全ての手続きが終わったので、幸ちゃんを迎えに来て」と言う。ヨーカ堂で買った白靴下9足と、途中の不二家でショートケーキ8個を買い、付き添いの人たちに白靴下、部屋の人たちにはショートケーキを配った。看護師さん1人ひとりに「55日間お世話になりました」と挨拶した。付き添いの人たちにも挨拶を済ませ、1階へ。

幸ちゃんは完全に泣いていた。玄関ロビーからタクシー会社に電話をする。2分ほどで車が来た。車に乗ると、幸ちゃんは声をたてて泣きじゃくる。見えなくなるまで手を振ってくれた吉野さんと、もうひとり同室の付添婦さん。

「本当にお世話になりました。そして、ありがとうございました。どうぞ、これから

も お元気で！」

幸ちゃんは、手を振れないほど泣いていた。

車だと、あっという間に家に着いた。昼食の支度はしていなかったので、「なにが食べたい？」と聞くと、聞くまでもなかった。小さい、本当に小さい声で「すす（すしの意味）」と言った。今日の幸ちゃんは良く食べた。本当に、ほとんど1人前ペロリと食べた。嬉しくなってしまう。アサリのみそ汁も残らずたいらげた。食事中に幸ちゃんのパート先のヤクルト（戸田球場の選手の宿舎）のお友達2人が見えたので、食事を中断し、コーヒーを出してあげた。歩こう会のその後の話を聞かせてもらったが、30分ほどで帰られた。

僕が台所で洗いものをしたり、コーヒーをいれたりしていると、幸ちゃんは1人で腕を上げたり下げたりしている。運動リハビリを盛んに実践している。食べている時も、突然に〝あーあー〟と発声練習を始めるのである。病院では、人の目、人の耳を気にして遠慮していたのであろう。これからは、どんどん、発声訓練をやってほしい。

明日から所沢の国立障害者リハビリテーション病院である。ガンバッテ行こうぜ!!

幸ちゃん。厳しい訓練でも逃げ帰ったりしないと約束してもらおう。

神様、幸ちゃんが一日も早く話ができるようになりますように。言葉を与えてください。お願いします。

10月24日㈪に所沢市にある国立障害者リハビリテーション病院に入院し、元気になった時のカミさんです

エピローグ

このあと、カミさんは埼玉県所沢市にある国立障害者リハビリテーションセンター病院に入院し、種々な訓練を受けて翌年5月11日㈭に退院しました（入院生活198日）。

その次の年になり、言葉はまだまだ正確に発することはできませんでしたが、月一度のリハビリセンター病院で開かれる失語症の会にも積極的に参加し、ずいぶんガンバッタこともあり、そのホウビの意味もあって、11月に初めての海外旅行ハワイに行ってきました。

国立障害者リハビリテーションセンター病院を退院した翌年、
初めての海外旅行でハワイに行った

あとがき

早いものでカミさんがくも膜下出血で倒れて30年が経ちます。今でも、彼女の生命《いのち》が無事であったことを心から感謝しています。

最初は手話をと考えたのですが、自分はとてもたくさんの言葉は覚えられない、自信がありませんでした。手話は断念しました。

彼女は今、完璧な会話をしている訳ではありませんが、カタコトの会話でほぼ不自由なく生活しています。右手右足は不自由のままです。

この機会に、カミさんが今まで出会った様々な人たち、もろもろの人たちから受けました恩情に対し、彼女に代わりまして心から「ありがとうございました。ご迷惑をお掛けしました」と言わせていただきます。本当にありがとうございました。

この本の出版に際しましては、鉱脈社の小崎さんには親身になって御指導していただきまして、心から感謝申し上げます。

２０２４年春

[著者略歴]

百々　一（どうどう　はじめ）

1940年　中国天津市生まれ

1944年　北海道網走市に疎開

法政大学卒、防衛庁事務官として勤務。航空自衛隊中空司令部法務班長（埼玉県入間基地）、航空総隊司令部法務補佐官（東京都府中基地）を最後に2001年３月定年退職、宮崎県宮崎市に移住し現在に至る。

趣味　家庭菜園、Jazz record鑑賞、テニス

失語症になったカミさん&航空自衛隊 司令部勤務の55日

二〇二四年三月二十日　初版印刷
二〇二四年四月　一日　初版発行

著　者　百々　一©
発行者　川口敦己
発行所　鉱　脈　社
〒八八〇-八五五一
宮崎市田代町二六三番地
電話　〇九八五-二五-一七五八
郵便振替　〇二〇七〇-七-二三六七

印刷 製本　有限会社　鉱　脈　社